LA VIEILLE
laide

LUCY-FRANCE DUTREMBLE

LA VIEILLE

laide

LES ÉDITIONS
JKA

LA VIEILLE LAIDE
Dépôts légaux :
Bibliothèque nationale du Québec
Bibliothèque nationale du Canada

© Les Éditions JKA
Saint-Pie (Québec)
J0H 1W0 Canada
www.leseditionsjka.com

ISBN : 978-2-923672-19-9
Imprimé au Canada

Observe un nuage dans le firmament
et installe-toi confortablement sur son duvet blanc.
Agrippe une étoile et elle te mènera
au bout de tes rêves les plus fous.

Chapitre 1

ANNE-MARIE

À L'AUBE DU MOIS D'OCTOBRE OÙ LES ROSES cédaient leur place aux couleurs chaudes de l'automne, le huit octobre mille neuf cent quarante-deux, à l'hôpital Comtois de Louiseville, Madeleine, épouse de Delphis Jolicoeur, donnait naissance à leur fille Marie-Anne.

Louiseville, autrefois La Seigneurie de la Rivière-du-Loup, a été fondée en 1665 par Charles du Jay de Manereuil. C'est ainsi que la rivière du Loup devint le berceau de cette ville.

Immédiatement après avoir été baptisée à l'église Saint-Antoine de Padoue, Marie-Anne fut déposée dans les bras de ses parents adoptifs. Il n'y avait rien à comprendre, Delphis possédait pourtant une terre de quatre-vingt-dix arpents, cent bêtes à cornes et un grand poulailler.
Il est vrai que les temps étaient durs comme se plaisaient à répéter les fermiers, mais de là à se séparer d'un enfant, il y avait toute une marge !

Marie-Anne fut accueillie dans la ville de Trois-Rivières sous le nom d'Anne-Marie Sirois dans une modeste maison campagnarde, celle de Françoise et de Jean-Paul Sirois. Elle grandit dans un climat très sévère auprès d'une mère draconienne et d'un père indifférent qui ne possédait en rien la fibre paternelle. À six ans lorsqu'elle fut en âge de fréquenter les bancs d'école, elle perdit tous ses loisirs d'enfant. Cinq heures trente sonnaient, Anne-Marie sortait du lit et enfilait ses vêtements pour préparer le déjeuner de son père. Jean-Paul Sirois travaillait depuis toujours à l'usine de coton Wabasso. Anne-Marie vaquait à ses tâches pendant que sa soi-disant mère dormait. Elle ne se levait que pour écouter ses émissions du matin, sa tasse de café à la main, sans se soucier des miettes et de la vaisselle crasseuse qu'elle laissait traînailler dans l'évier toute la journée.

Françoise Sirois ne cuisinait jamais les repas. Elle attendait tout simplement le retour de sa fille qui se débrouillait du mieux qu'elle pouvait pour cuire la viande du souper. Anne-Marie ne récoltait que des insultes sur la cuisson des repas. Tous les jours, elle promettait à ses parents de faire son possible pour ne pas brûler le repas du soir.

Parfois, la petite Anne-Marie éclatait en sanglots, fatiguée de toutes ses journées interminables. Jean-Paul Sirois ne pouvait tolérer ses pleurs, il lui disait qu'elle était laide et qu'elle avait le visage comme une galette de sarrasin. *La vieille laide,* c'est le surnom que Françoise et Jean-Paul lui avaient attribué sans se soucier de la tristesse qui s'accumulait petit à petit au plus profond de son âme.

À sept ans, Anne-Marie était devenue chétive et elle ne respirait pas la santé. Il était hors de question que ses parents dépensent un sou pour elle. Elle n'avait droit qu'aux vieux vêtements octroyés au sous-sol de l'église. Lorsqu'elle se présentait à l'école, les élèves lui disaient qu'elle puait la naphtaline. Elle faisait de son mieux pour soigner son apparence. Elle ne pouvait utiliser le shampoing Halo de sa mère. Anne-Marie se nettoyait les cheveux avec du savon à vaisselle. Ses cheveux bruns mi-longs étaient toujours propres, mais elle ne se coiffait jamais. Tout autour de ses grands yeux verts, des taches de son s'étalaient jusque sur ses pommettes émaciées.

Au mois de novembre mille neuf cent soixante-douze, à l'aube de ses trente ans, Anne-Marie habitait un minuscule appartement sur la rue des Forges au centre-ville de Trois-Rivières, juste au-dessus du magasin Pollack. Elle reçut la visite d'un policier lui annonçant la terrible nouvelle que ses parents venaient d'avoir un accident de la route et que la collision avait été fatale. Peu de temps après, elle vendit la maison de ceux-ci et quitta son loyer pour aller vivre dans la belle ville de Contrecoeur pour enfin oublier à tout jamais cette sombre période de sa vie.

Anne-Marie avait déniché une petite maison centenaire dans le rang du Ruisseau et elle travaillait comme cuisinière trois avant-midi par semaine au presbytère Sainte-Trinité, et le samedi elle guidait les gens dans leur démarche littéraire à la bibliothèque de Tracy sur le Boulevard de la Mairie. Jamais un homme n'avait encore possédé son cœur et, pour elle, la Providence ne serait jamais de son côté. Elle n'avait pas encore visité ses voisins non plus, malgré les nombreuses invitations. Elle se vouait à ses fleurs ainsi qu'à son jardin durant tout l'été et parfois, le dimanche matin, elle se rendait à la Colonie des Grèves pour assister le bon curé Forcier dans la distribution de la communion aux jeunes vacanciers.

Mois de mai 1973

— Bonjour mademoiselle…

— Monsieur ! Puis-je vous être utile ? Vous cherchez un livre ?

— En fait, si je veux être honnête avec vous, le seul livre que j'ai pu lire dans ma vie, c'est *Les petites filles modèles* de la Comtesse de Ségur quand j'étais à la petite école, vous comprenez ?

— Oh ! Je vois… Je pourrais vous conseiller dans votre choix si vous voulez. Quel genre aimez-vous ? Policier, biographie, philosophie ou peut-être un bon roman québécois ? Nous venons justement de recevoir celui de Claude Jasmin, *La Petite Patrie*. Connaissez-vous ?

— Non pas vraiment. Écoutez, je suis venu de la Mauricie pour vous rencontrer, je ne suis pas du coin. Vous êtes bien Marie-Anne Jolicoeur ?

Anne-Marie lui sourit.

— Vous n'êtes pas loin, vous avez seulement inversé mon prénom ! C'est Anne-Marie, puis mon nom de famille, c'est Sirois.

— Oh ! Pardonnez-moi, pourtant dans la lettre c'est bien écrit Marie-Anne !

— Une lettre ? De quelle lettre me parlez-vous ?

— La lettre que ma tante Rosalie m'a donnée après le décès de ma mère.

— Mais de quoi parlez-vous ? Vous vous trompez de personne, c'est certain ! Quel est votre nom ?

— Désolée, j'aurais dû me présenter en premier madame ou mademoiselle ?

Mais qui est cet homme ? se demanda-t-elle. D'un ton sec, elle finit par lui répondre.

— Ce n'est pas de vos affaires si je suis une madame ou bien une mademoiselle ! Puis, quel est votre nom ? Si vous ne voulez pas me le dire, c'est votre choix ! J'ai aussi le choix de ne plus vous adresser la parole !

— Pardonnez-moi ! C'est Charles Jolicoeur.

— Cela ne me dit rien du tout et excusez-moi, je dois aller classer les livres abîmés au sous-sol. Solange, te serait-il possible de répondre à monsieur Jolicoeur ? Il aimerait se choisir un livre.

— Certainement Anne-Marie, j'allais te le proposer, car ici c'est une bibliothèque, je trouvais que tu montais le ton un peu trop haut.

Elle disparut en direction du sous-sol tout en pensant à cet homme. Quel bel homme, malgré un abord pour le moins insolite ! Quel âge peut-il avoir ? Trente-deux ou bien peut-être trente-trois…

Son teint hâlé se mariait très bien avec ses yeux marron balayés de ses grands cils noirs. Ses cheveux bruns parfaitement coupés étaient entremêlés de filets dorés tout comme le blé. Le complet vert forêt qu'il portait lui allait à la perfection et une chemise blanche au col ouvert lui conférait une allure romantique mêlée de coquetterie masculine troublante.

— Mon Dieu Anne-Marie, tu n'as jamais vu un homme, finit-elle par se dire ?

De son côté, elle ne s'était jamais trouvée jolie du fait que ses parents l'avaient continuellement infériorisée et ne l'avaient jamais interpellée par son prénom. Elle avait vraiment grandi avec ce surnom de « vieille laide ». Pourtant, ses grands yeux de couleur terre dégageaient une luminosité impressionnante et plusieurs hommes se fondaient dans son regard sans qu'elle y prête aucune attention. Quant à sa longue chevelure, elle n'avait jamais su la mettre en valeur. D'un brun acajou luminescent et retombant en abondance aux creux de ses reins, elle était malheureusement trop souvent dissimulée sous de grosses barrettes ou rehaussée en chignon. Ses petites taches de son maintenant à peine visibles sur le rose de ses pommettes lui rappelaient les bancs d'école où ses compagnes de classe se gaussaient d'elle en lui disant que, chez elle, sa mère achetait du brandy au lieu de se procurer des pains de savon. Une dentition parfaite se cachait derrière des lèvres correctement dessinées, mais un peu trop fermées pour que s'y glisse un sourire. Sa tenue de travail marine lui donnait un air autoritaire et réservé, mais elle était tellement ravissante quand venait le temps de soigner les roses de son jardin, vêtue de son vieux jean délavé et de son grand gilet blanc incrusté de petites torsades bleutées.

Un mois s'était écoulé depuis la visite de Charles Jolicoeur à la bibliothèque et Anne-Marie ne passait pas une journée sans penser à ce beau visage. Dommage qu'il soit si bizarre comme individu, s'était dit Anne-Marie.

— Hé Solange ! Salut ! C'est ce beau soleil de mai qui te fait sortir de ta vieille piaule ? Viens me retrouver, je vais finir de planter mes pois de senteur et on va aller se faire un bon cappuccino.

— Tu n'es vraiment pas gênée Anne-Marie Sirois ! Ma piaule ! Je te signale que ta maison est la seule dans le rang du Ruisseau qui a encore un vieux poêle à bois tout bedonnant ! Je te fais remarquer que moi et tes trois voisins de rang possédons un poêle électrique, tu sauras !

— Eille ! J'ai l'électricité moi aussi, ma belle Solange, mais c'est sûr que je ne me débarrasserai jamais de mon odeur d'érable durant l'hiver !

— Je t'agace moi aussi Anne-Marie, j'aime te voir rire et puis tu as tellement une belle maison !

Au loin, on distinguait la grande véranda entourant la maison. Sur ses planches écaillées reposaient une multitude de fleurs et de plantes d'une grande beauté, libérant un parfum printanier. Des œillets blancs garnissaient le bas des fenêtres à guillotine et les lilas rappelaient l'odeur de madame Biron, le professeur de première année d'Anne-Marie lorsqu'elle étudiait à l'école primaire Saint-François-d'Assise de Trois-Rivières.

Le tambour n'avait toujours pas été libéré de ses antiquités. Les Demers avaient abandonné une partie de leurs souvenirs en quittant leur maison, traînant avec eux un lourd chagrin inconsolable. On dit parfois que le cœur ne vieillit pas, mais quand la force de l'âme n'y est plus et que le temps glisse tout doucement vers le paradis, on doit se faire à l'idée de quitter la maison familiale. Quand il est laborieux de cueillir un bon fruit frais dans son mûrier ou que les muscles raidis ne peuvent plus faire revivre le tapis de fleurs printanier. Quand la neige s'entasse sur la véranda car la pelle est devenue trop lourde, il devient nécessaire de s'installer dans un plus petit nid, dernier gîte avant de quitter la terre.

La cuisine est très fonctionnelle malgré sa petitesse. Au centre, une table en merisier repose sur un tapis grossièrement tressé entouré de chaises capitaines assises sur un sol recouvert d'un linoléum au motifs de carrelage rectangulaire en imitation de pierres tissées d'osier.

La première fois qu'Anne-Marie alla visiter le grenier, en ouvrant la trappe, un nuage de poussière s'était mis à virevolter. Elle venait de déceler un trésor de souvenirs endormi depuis probablement une centaine d'années. Un grand coffre de cèdre poudreux contenait des vêtements dévorés par les mites et, tout près, elle aperçut une vieille maison de poupée, vestige de l'enfance des Demers. Une poupée de porcelaine aux joues écarlates et aux cheveux manquants, prisonnière de grands fils blancs, reposait sur le rebord de la lucarne souillée.

Plus loin, sur un vieux banc de piano aux pattes branlantes, reposait un écrin rose rempli de lettres ficelées de rubans violets pâlis par le temps. Jamais Anne-Marie n'avait parcouru ces lettres poussiéreuses qui probablement confessaient des histoires d'amour qui ne lui appartenaient aucunement.

La chambre à coucher, faisant face au salon, était de couleur amande et ne contenait qu'une coiffeuse en samba aux grains grossiers, un grand lit coiffé d'une tête cuivrée sur lequel on avait installé une jolie douillette aux teintes turquoise. En regardant vers la droite, on pouvait voir une vieille berceuse servant de lit douillet pour Grison, le chaton grisonnant et paresseux qu'Anne-Marie avait recueilli à la SPCA, il y avait de cela six mois.

Chapitre 2

LE PRESBYTÈRE

— Veux-tu un morceau de tarte aux pommes avec ton cappuccino, Solange ?

— Encore des calories, seigneur de la vie ! Tu n'aurais pas des petits biscuits secs ? Il va falloir que je me décide à maigrir moi, je suis à la veille de rouler !

— Voyons Solange, tu n'es pas grosse, tu es juste un peu enrobée !

— Ouin, Jean-Claude ne pense pas la même chose, lui !

— Comment ça ?

— Bien, il ne m'a rien dit, mais je vois bien qu'il ne me regarde plus comme la première journée où l'on s'est rencontrés au club La Pomme D'or ! Tu sais, je ne suis pas aveugle, il va falloir que je me fasse violence car comme on dit : *Ce qu'on laisse sur la table fait plus de bien que ce qu'on y prend.*

— Mais, tu sais bien comme moi que ce n'est pas évident, ça prend une volonté de fer puis une tête dure pour entreprendre un régime.

— Facile pour toi, tu n'as jamais eu à prendre une décision semblable, tu es taillée au couteau !

— Arrête donc ! Si tu savais tout ce qui me trotte dans la tête quand je me regarde dans un miroir... des fois je pense assez fort que j'ai peur qu'il éclate en mille morceaux.

— Pauvre petite, elle se plaint le ventre plein !

— Tu penses ? Pourquoi alors suis-je encore célibataire ? J'ai 31 ans et je n'ai jamais fait l'amour avec personne. À part avoir eu des petits rapprochements avec un ou deux garçons quand j'étais adolescente ! Il y a un problème quelque part, tu ne crois pas ?

— Un jour, tu vas le rencontrer ton prince avec son cheval blanc, personne n'a le droit d'être heureux tout seul !

— Qui sait si cela n'est pas ma destinée de devenir une vieille fille !

— Oh ! Non, je ne crois pas ça, moi. Puis quand tu vas le rencontrer ton prince…Tu aimes la pluie, toi ?

— Quel est le rapport avec le prince ?

— Voilà ! Le jour où tu tomberas amoureuse, étant donné que tu aimes la pluie, bien je te souhaite qu'il mouille à boire debout !

— C'est vrai que j'aime beaucoup la pluie, c'est tellement mélodieux !

À l'âge de sept ans, Anne-Marie avait développé une phobie à l'égard du roulement turbulent du tonnerre et des éclairs. Aujourd'hui, elle prenait un grand plaisir à regarder le ciel s'assombrir et à imaginer que tout là-haut, les nuages gonflés se libèreraient de leurs lourdes charges trop longtemps retenues. Une satisfaction l'envahissait lorsqu'elle observait les fleurs et les arbres s'abreuver de cette eau limpide et qu'elle voyait par la suite les rayons dorés se faufiler au travers de ces nuages satisfaits pour assécher le sol rassasié.

— Oh! Déjà quatre heures et demie! Jean-Claude est à la veille d'arriver de la Dosco, je vais aller commencer à faire le souper.

— Relaxe Solange, ce n'est pas une course! Que vas-tu préparer pour le souper?

— Je pense que je vais faire une sauce aux œufs avec du saumon.

— Hum! Il est gâté ce Jean-Claude-là!

— Qu'est-ce que tu veux, je l'ai habitué à se laisser servir, mon gros toutou. Tu sais, après treize ans de mariage, je suis certaine qu'il ne saurait même pas se faire cuire une omelette!

— Je comprends donc! Quand il se lève le matin, ses rôties sont beurrées dans son assiette, tu te lèves avant lui pour le traiter aux petits oignons! Tu as un emploi à plein temps toi aussi, tu as le ménage à faire, le lavage... Par chance qu'il fait le gazon et qu'il déneige l'hiver! Sinon, tu aurais le trou-du-cul en dessous des bras, comme on dit!

— Je sais, mais il est fatigué quand il rentre.

— Certainement, pauvre petit Jean-Claude! Et toi alors tu travailles à Tracy. Dis-moi, chère Solange qui fait le trajet, matin et soir? Tu arrives toujours en vitesse afin de préparer le souper et tu prépares aussi les lunchs. Quand est-ce que tu as pensé à toi dans tout ça en treize ans de mariage, ma vieille?

— Ouf... je ne m'en souviens pas! Toi aussi tu travailles beaucoup, Anne-Marie. Tu n'as pas d'homme à t'occuper, mais l'ouvrage de la maison, tu l'écopes en double! Tu as deux emplois, si je me rappelle bien!

— Bien là, pousse mais pousse égal, deux emplois ! Mes deux emplois me donnent seize heures par semaine, sainte mère ! Une sacrée chance que j'ai l'argent de la maison de Trois-Rivières sinon je te dis que je n'aurais pas ma maison aujourd'hui !

— Ouin, quant à cela, si tu avais eu l'emploi à plein temps aussi à la bibliothèque quand Marie-Anne Francoeur est partie, tu ne serais pas obligée de faire la queue de veau entre Tracy et le presbytère de Contrecoeur !

— Bien oui… Attends un petit peu toi, as-tu dit Marie-Anne Francœur ?

— Bien oui, quand tu as été engagée, cela faisait deux semaines qu'elle avait déjà déménagé à Saint-Lambert.

— Je comprends maintenant…

— Qu'est-ce que tu comprends ?

— L'homme qui est venu hier matin, ce n'est pas moi qu'il cherchait, c'est cette Marie-Anne là !

— Ah bien oui, probablement… Un maudit beau gars, cet homme-là !

— Beau, mais pas fin fin…

— Pourquoi le traites-tu de pas fin ?

— Ben là ! Un homme que tu n'as jamais vu de ta vie qui te demande si tu es une madame ou une mademoiselle, je trouve cela vraiment effronté, moi !

— Tu n'as pas allumé ? Il voulait probablement juste tâter le terrain pour voir si tu étais mariée parce qu'il te trouvait à son goût…

— Voyons donc, un homme de cette classe-là ne peut pas s'intéresser à une vieille laide comme moi !

— Comme tu n'es pas drôle, Anne-Marie Sirois ! Ce n'est pas parce que tes parents te surnommaient *la vieille laide* que tu es dans l'obligation d'assumer ce nom toute ta vie. Voyons Anne-Marie ! Moi je te dis que tu es une belle femme, il est grand temps d'arrêter de t'enfoncer dans ton passé !

— Ce n'est pas si simple Solange, j'ai grandi dans un climat austère avec des parents qui ne m'aimaient pas. Je ne me souviens pas d'une seule fois où ils m'ont appelée Anne-Marie !

— Oui, je sais ! Cela n'a pas été facile pour toi. Seigneur ! Il est cinq heures et quart, Jean-Claude doit me chercher là !

— Ne crains pas ma vieille, cela va lui faire juste du bien de ne pas savoir où tu es…

— Tu ne l'aimes pas mon Jean-Claude, Anne-Marie ?

— Ce n'est pas cela, c'est un bien bon gars mais je trouve qu'il profite de toi.

— Qu'est-ce que tu veux, je l'aime !

Juillet

Une canicule était bien installée depuis deux semaines, et on aurait dit qu'elle voulait durer encore un bon moment. Les Contrecoeurois espéraient bien voir les nuages se déverser sur leurs terres, car la sécheresse se faisait menaçante. Les champs étaient assoiffés et les rivières aussi. Le soleil abusait un peu trop de son éclat. Il aurait pu retirer ses rayons lumineux au lieu de repousser les nuages qui essayaient de peine et de misère de se créer un chemin afin d'éclore sur les terres déshydratées.

Au presbytère Sainte-Trinité, les livrets paroissiaux servaient d'éventails aux ecclésiastiques et l'eau bénite rafraîchissait le bedeau Carignan. Ce dernier avançait à pas de tortue pour astiquer les bancs de l'église avant que les fidèles n'arrivent pour leurs prières du matin.

— Bonté ! Madame Sirois, vous n'étiez pas obligée d'allumer le fourneau par une chaleur pareille ! Des sandwichs auraient quand même bien fait l'affaire pour ce midi !

— Voyons mon Père, vous savez que je suis payée pour vous faire de bons repas. Je serais gênée de vous faire des sandwichs pour dîner ! La chaleur n'a jamais tué personne, vous savez ! D'ailleurs, j'aime mieux préparer à manger ici que chez nous. On dirait qu'avec toute cette boiserie foncée dans le presbytère, c'est un peu plus frais.

— C'est comme vous voulez. L'abbé Charland est parti chercher de la limonade congelée au marché, nous allons pouvoir nous rafraîchir le gosier ! Le bedeau Carignan n'est pas encore venu nettoyer mon bureau, mademoiselle Sirois ?

— Non pas encore, vous comprenez avec cette chaleur qui règne, il doit y aller à son rythme. Sinon, il tomberait bien à terre !

— Vous voulez dire qu'il doit travailler au neutre, car sa vitesse normale, c'est au ralenti ! C'est parce qu'il a une femme et cinq enfants que je le tolère comme bedeau de ma paroisse, car ce n'est pas lui qui a inventé la vitesse ! En plus, ce n'est pas lui qui s'use les genoux sur les bancs de notre église… quand il s'agenouille sur les prie-dieu, c'est tout simplement pour les laver.

Anne-Marie eut un petit sourire.

— Excusez-moi mon père, mais vous avez le don de me faire rire, vous ! C'est vrai qu'il n'est pas trop vaillant notre bedeau, mais il a un cœur grand comme la terre, il pourrait tout donner après s'être assuré que sa famille ne manque de rien.

— C'est un fait ! Mais bonté divine, parfois il me rend impatient. Juste à le regarder travailler, je deviens fatigué ! Cela fait au moins dix fois que je lui demande d'enlever les mauvaises herbes sur le côté du presbytère, il fait cela par petits bouts, lui ! C'est sûr que quand il a fini, au bout d'une semaine, le début de la rocaille est à nouveau envahi ! Tiens, ce n'est pas trop tôt pour la limonade l'abbé !

— On va pouvoir la faire tout de suite, elle a tout dégelé pendant que je revenais avec mon bicycle…

— C'est correct, on va pouvoir la consommer plus vite. Après cela, vous irez voir si le bedeau est à la veille de venir faire le ménage de mon bureau. J'ai assez de poussière sur le dossier de ma chaise que je n'ose pas m'accoter dessus de peur d'avoir une ligne blanche sur ma soutane.

Il prit son souffle et reprit.

— Mademoiselle Sirois, veuillez me faire le plaisir de vous asseoir un peu. Vous avez les cheveux qui frisent, de plus vos yeux sont tout enflés tellement c'est humide ici.

— Oui, mon père. Je vous dis que si je ne vous avais plus, je me chercherais un père car je ne pourrais plus me passer de votre bonté.

— Vous êtes bien bonne, mon enfant. Croyez bien, je n'ai aucun regret d'être devenu curé, mais sentir que j'ai une fibre paternelle envers vous...

Le cœur gonflé, le père prit un instant avant de poursuivre.

— Cela me réchauffe le cœur et, avec cette canicule qui persiste, votre présence est bien rafraîchissante. Croyez-moi, cela est sans oublier votre aide pour la communion à la Colonie des Grèves le dimanche matin.

— Ça, c'est quand les enfants ne sont pas passés avant nous pour vider le ciboire et qu'on se retrouve sans hosties pour la communion ! Par chance que vous cachez les burettes !

— Vous savez, j'ai bien beau essayer de les réprimander ces enfants-là, mais ils sont tellement attachants que je passe par-dessus. Dimanche dernier, l'un d'eux m'a donné une couronne qu'il avait lui-même tressée.

— Eh bien, c'est gentil !

— Oui, même si je savais qu'il avait tout utilisé les rameaux de la chapelle pour la faire, cette couronne-là.

— Non !

— Hé bedeau ! Un bon verre de limonade rose ?

— Croyez-moi, ce n'est pas de refus, mademoiselle Anne-Marie ! Je suis en train de tout ratatiner tellement qu'il n'y a plus d'eau dans mon corps !

— Vous n'en avez plus dans le corps, mais à ce que je vois, vous devez avoir vidé les bénitiers ! On dirait que vous vous êtes trempé la tête dedans !

— Non ! Non ! J'en ai juste pris pour faire mon signe de croix ! Justement, vous savez avec la chaleur qu'il fait, l'eau des bénitiers s'évapore au fur et à mesure ! Sacristie !

— Voyons Bedeau, Sacristie, c'est un blasphème contre l'Église !

— Excusez-moi monsieur le curé, je voulais dire sapristi…

— C'est mieux comme ça, allez-vous nettoyer mon bureau bientôt ?

— Oui ! Oui ! Je finis mon verre de limonade et je m'attaque à lui.

— Attaquez-le pas trop fort bedeau, vous n'êtes pas habitué, vous risqueriez d'avoir une syncope.

À 62 ans, le bon curé Forcier était très en forme physiquement. Bien qu'à la suite d'un accident de voiture, à l'âge de vingt ans, qui l'avait privé de sa jambe gauche, il dût se soutenir d'une canne. Costaud et ventru, il se déplaçait malgré tout aisément. De petites lunettes rondes reposaient sur son nez rougi dû à une rosacée avancée, et ses yeux gris étaient de la même couleur que ses cheveux drus parsemés de brins argentés.

L'abbé Charland, qui était âgé de 34 ans, était plus court et beaucoup plus efflanqué que son supérieur. Souvent, les paroissiens lui demandaient s'il n'était pas malade tellement il avait le teint verdâtre. Ses cheveux ondulés étaient d'un brun prononcé et ses paupières tombantes assombrissaient ses yeux bleu clair.

Pour sa part, le bedeau Carignan était de taille moyenne. Son visage creusé de sillons profonds faisaient ressortir un nez pointu et de grandes oreilles décollées recouvertes de cheveux grisonnants.

Enfin, en cette fin de matinée, les nuages avaient réussi tant bien que mal à devancer le soleil et par la suite, ce dernier s'était retiré en totalité du firmament. Le tonnerre, tintamarre féerique venu du plus haut des cieux, s'était mis à tambouriner de satisfaction dans ce ciel noirâtre et les éclairs flamboyants se succédaient les uns après les autres. Les ruisseaux et les vergers se laissaient pénétrer de cette pluie chaude et torrentielle et, comme par magie, les fleurs endormies et asséchées dans le jardin d'Anne-Marie se mirent à se déplier lentement et à ouvrir leurs pétales pour recevoir chaque goutte de pluie au fond de leur cœur.

Le chemin de terre du rang du Ruisseau n'était qu'une venelle boueuse qui refusait de laisser grimper son eau sur le rebord des pelouses de peur de ne pas se désaltérer jusqu'à satiété.

Le déluge dura deux longues heures et Anne-Marie avait pu contempler ce spectacle de la lucarne du grenier aux côtés de la poupée de porcelaine aux joues écarlates qu'elle avait surnommée mademoiselle Pétronie. Le temps se calma et elle redescendit non sans caresser au passage les lettres poussiéreuses ficelées de rubans violets.

— Vous ne m'avez pas entendu cogner, madame Sirois ?

— Non, monsieur Hamelin, j'étais au grenier ! Que puis-je pour vous ?

— Ce n'est pas pour moi que je suis venu ici, mais pour votre chat.

— Mon chat !

— Oui, je roulais en voiture dans le rang et j'ai aperçu votre chat. Il était chez Hubert Tessier, il avait l'air bien nerveux et il courait dans tous les sens !

Ce dernier lui remit Grison.

— Oh ! Pauvre Grison, il tremble comme une feuille. Tu es rempli de boue. Merci monsieur Hamelin, je vous remercie énormément de me l'avoir ramené !

— C'est la moindre des choses, madame Sirois, je sais que ça ne doit pas être facile de vivre toute seule. Si vous avez besoin de quoi que ce soit, vous avez juste à nous téléphoner, moi ou ma femme Juliette, ça va nous faire plaisir de pouvoir vous aider si vous êtes dans le trouble.

— Merci mille fois monsieur Hamelin et bonne nuit.

Midas Hamelin, un octogénaire de 81 ans, demeurait dans le rang du Ruisseau depuis plus de soixante ans. Lui et sa femme Juliette avaient élevé tendrement cinq beaux enfants : Huguette, Pauline, Rita, Jocelyn et Ludger. Ils étaient grands-parents de sept petits-enfants et de huit arrière-petits-enfants. Que de changements depuis qu'ils s'étaient enracinés dans la ville de Contrecœur : les premières manufactures de chaussures, les usines sidérurgiques… Ils étaient aussi très fiers du patrimoine de leur ville d'adoption et de ses nombreux sites historiques fréquentés par les touristes. Le moulin Chaput construit en 1742, la maison Lenoblet-Duplessis qui fut érigée en 1794 ainsi que l'église Sainte-Trinité et sa façade en murs de pierres, édifiée en 1864, en sont de bons exemples. On dit même qu'un tunnel existerait entre la cave de la maison Lenoblet-Duplessis et le fleuve Saint-Laurent, même si ce n'est probablement qu'une légende.

Chapitre 3

LE TEMPS DES RÉJOUISSANCES

— GRISON ! VEUX-TU CESSER DE CASSER mes boules de Noël ? Tu dois arrêter, car je vais devoir retourner au Woolco à Tracy pour aller en acheter d'autres, sainte mère !

Un sapin majestueux qu'Anne-Marie s'était procuré à la pépinière de Verchères occupait une grande partie du petit salon et, à son sommet, scintillait l'étoile de Bethléem. Les cartes de Noël reçues de Solange, du curé Forcier et de madame Bélanger, la responsable de la bibliothèque, étaient disposées sur une étagère fixée sur le mur de plâtre tout près du vieux poêle ventru. De grandes guirlandes multicolores passaient au-dessus de l'arche du salon. Anne-Marie avait déposé sur la table de merisier deux grandes bougies rouges fixées dans de magnifiques couronnes de pin qu'elle avait confectionnées de ses mains adroites. À l'intérieur de son gros meuble stéréo du salon reposant sur un tapis usé, un tourne-disque émettait *l'Adeste Fidèles* de Fernand Gignac qu'il interprétait divinement.

À minuit, Anne-Marie assista à la grande messe chrétienne avec beaucoup de mélancolie dans le cœur. Après avoir souhaité ses vœux de prospérité et de santé au curé

Forcier et à l'abbé Charland, elle se dirigea vers la sortie de l'église essayant de refouler une nostalgie d'antan.

Sur le grand perron de l'église, la neige scintillante tant espérée s'accumulait sur les beaux vêtements des paroissiens exaucés.

— Mademoiselle Sirois !

— Bonjour madame Hamelin, vous allez bien ? Joyeux Noël à vous et à toute votre famille.

— Merci ma belle fille, justement, en parlant de Joyeux Noël, avez-vous quelque chose de prévu ce soir pour le réveillon ?

— Non pas vraiment, pourquoi ?

— Moi et mon mari aimerions vous inviter chez nous. Vous savez Anne-Marie, tous nos enfants, sauf notre petit-fils Bruno, sont partis fêter dans leurs belles-familles, nous aimerions bien vous avoir avec nous.

— Voyons donc madame Hamelin, je ne suis pas pour aller chez vous comme cela à la dernière minute ! Cela ne se fait pas ça !

— On aimerait tellement ça ! Je sais que vous êtes toute seule pour la nuit de Noël, votre amie Solange est partie fêter dans la famille de son mari à Saint-Eustache. Mon mari et moi allons nous sentir tellement seuls juste avec notre Bruno... Dis-lui Midas, bout de bon Dieu !

— Là, on va cesser de se répéter, mademoiselle Sirois ! Voyez-vous, mes pieds sur le frette de même, je commence à avoir la vessie proche des yeux !

Anne-Marie éclata de rire.

— Pauvre vous...

Juliette avait revêtu son tablier rouge et elle était déjà postée devant son fourneau pour arroser la dinde de sa sauce dorée. C'était une maison où il y faisait bon de s'y réchauffer. Un arôme de tourtière et de cannelle embaumait la grande cuisine campagnarde vieille de deux cents ans. Midas venait de déposer une énorme bûche dans l'âtre profondément endormi et un halo de buée s'était étalé dans les grandes fenêtres frigorifiées sur lesquelles on avait envie de tracer des cœurs ainsi que de petits bonshommes allumettes pour ensuite les regarder se dissoudre lentement. La neige s'accumulait sur les toits, dégoulinant en perles cristallisées sur la grande galerie de pierres. Cette vieille maison remplie d'enfants avait connu le bonheur, mais ceux-ci l'avaient trop vite quittée pour vivre leurs vies d'adultes tout en laissant derrière eux des parents dans une attente de tous les jours.

— Par chance, vous n'habitez pas loin, mademoiselle Sirois ! Avez-vous vu le temps dehors ? On ne voit plus l'autre bord du rang, sacre bleu !

— Si cela continue, le chemin ne sera plus praticable, une chance que je ne suis pas en voiture !

— Ne soyez pas inquiète, j'irai vous reconduire après, puis je vais vous faire un petit chemin pour que vous soyez capable de vous rendre jusqu'à votre galerie.

— Ce n'est pas nécessaire Bruno, mais si vous insistez, je vous en serais bien reconnaissante. Que faites-vous dans la vie Bruno, vous travaillez dans quel domaine ?

— Je ne travaille pas, j'étudie à Longueuil à l'ancien Externat classique, aujourd'hui c'est le Collège Édouard-

Montpetit. J'étudie pour devenir denturologue. J'habite à Boucherville sur la rue Simon Saladin.

— Un denturologiste ?

— Oui, je sais que je m'y suis pris tard pour étudier, mais mieux vaut tard que jamais, il ne me reste qu'un an à faire. Pourrais-tu me tutoyer Anne-Marie, s'il te plaît ?

— Bien oui, si tu veux... Mais est-ce que je peux être indiscrète Bruno ? Pourquoi es-tu ici pour la nuit de Noël au lieu d'être avec ta famille ?

— Ce n'est pas vraiment compliqué, je vis seul puis mes parents sont partis pour trois jours à Joliette. Voilà, j'ai décidé de venir réveillonner ici avec mon pépère et ma grand-mère.

— D'accord, je vois.

— Tu ne manges pas mon gars ? Tu n'as pas touché à ton assiette encore !

— Je n'ai pas vraiment faim, pépère...

— Sacrebleu, que tu es difficile ! Il ne mange rien. Pour le contenter, il faudrait lui donner des hosties toastées sur les deux bords !

— Voyons pépère, tu n'exagères pas un peu là ?

— Pas vraiment, mon gars ! Tu es difficile, tu ne manges rien ! La journée que je vais te voir manger jusqu'à ce que les oreilles te frisent, je crois bien que j'vais aller faire brûler un lampion à l'église.

Bruno avait 33 ans. Il mesurait 5 pieds et six et il avait les cheveux longs châtains noués en queue de cheval. Il était très beau. Il portait des jeans Levi's, un chandail noir Point Zéro, des loafers couleur terre Hush Puppies. De petits yeux bridés laissaient entrevoir une pupille turquoise et de

grands cils bruns. Il devait avoir des manières de vieux garçons ou peut-être était-il homosexuel, s'interrogeait Anne-
Marie.

— J'ai trop mangé, madame Hamelin, j'ai fait la grosse
gourmande ! C'était vraiment délicieux, je vais tourner
toute la nuit, moi !

— Bien non ma fille ! Quand on se couche le ventre vide,
on ne passe pas une bonne nuit. Il faut chauffer le poêle
avant de se coucher, comme disait mon vieux père.

— Moi aussi, ma Juliette, j'ai bien mangé et j'ai bien bu. J'ai
la peau du ventre bien tendue. Merci petit Jésus !

— Cré Midas, en plus, c'est moi qui vais en écoper !

— Pourquoi dis-tu ça, ma Juliette ?

— Tu vas ronfler comme un train toute la nuit, bout de
bon Dieu !

— Cesse donc de te plaindre ! Depuis tantôt que je te regarde faire ta bataille de paupières ! Je vois bien que ce n'est
pas toi qui vas gagner ma vieille ?

— Ben oui, j'ai une endormitoire.

— Pauvre vous, avec tout le mal que vous vous êtes donné
aussi ! Je vais vous aider à ramasser puis à faire la vaisselle.

— Que je vous voie toucher à ça, vous ! Je vais ramasser le
plus gros avec Bruno s'il peut enfin s'enlever les pieds de sur
la bavette du poêle. Quand il vient se promener celui-là, on
dirait qu'il tombe au neutre !

On distinguait à peine le rang du Ruisseau. Les Hamelin étaient les deuxièmes voisins d'Anne-Marie, juste avant
les Tessier. La nuit était noire et Bruno et Anne-Marie res-
tèrent silencieux durant le trajet. Bruno n'avait pas déneigé
sa voiture, d'ailleurs il aurait été impossible de la déloger

de l'entrée de ses grands-parents. Un vent du nord déménageait les flocons dans tous les sens. Quand Anne-Marie avait perdu pied en essayant d'enjamber une grande lame de neige blanche, Bruno l'avait agrippée à la volée pour la tirer vers lui, et du fait, leurs visages humides et glacés s'étaient presque heurtés.

— Veux-tu entrer Bruno ? On pourrait prendre une boisson chaude avant que tu retournes chez tes grands-parents ?

— Ce n'est pas de refus, tu peux entrer, moi je vais pelleter un chemin jusqu'à ta galerie.

Après avoir déplacé la neige comme il le pouvait pour tracer un sentier étroit, il avait constaté qu'il n'y avait plus aucune trace de son effort et que la bourrasque venait de tout effacer.

— Bon, je reviendrai peut-être pelleter demain matin… C'est chaleureux chez toi.

— Ce n'est pas grand, mais j'y suis très bien. J'ai vraiment passé une belle nuit de Noël, Bruno. Tes grands-parents sont très accueillants et surtout très attachants.

— C'est vrai, pour des personnes de quatre-vingts ans, je les trouve encore bien en forme même si je sais qu'ils s'ennuient bien gros depuis que tous leurs enfants sont partis de leur grande maison. Je vais venir les visiter plus souvent après les fêtes, je trouve qu'ils sont un peu trop délaissés à mon goût.

— Tes oncles et tes tantes n'y vont pas souvent ?

— Je sais qu'ils y vont, mais ils ont tous leurs vies, eux aussi ! Mon père puis ma mère habitent à Montréal-Nord, ma tante Pauline à Rimouski, ma tante Rita à Sherbrooke,

Jocelyn, il ne crèche jamais à la même place. Actuellement, il habite à La Pocatière, puis mon oncle Ludger reste à Verchères. C'est lui le plus proche, Ludger, c'est un vieux garçon de quarante-trois ans puis on dirait qu'il a peur de mettre de l'essence dans son vieux Chrysler tellement il est pingre.

— Avoir tant d'enfants et ne presque jamais les voir, ça déchire des parents ça.

— Tu sais Anne-Marie, quand tu es rendu à cet âge-là puis que tu n'as plus aucun loisir, un moment donné, le temps arrive où tu te couches après les nouvelles du souper. Leurs journées sont longues, il n'y a rien pour les vieux ! Ils écoutent la radio, mais il n'y a presque pas de chansons pour eux. Quand ils vont chez le docteur parce qu'ils sont déprimés, il leur donne des pilules ! Le meilleur médicament pour eux, selon moi, ce serait que leurs enfants les visitent et les appellent de temps en temps. Ce n'est pas parce qu'ils sont vieux qu'ils n'ont plus rien à nous apprendre, au contraire ! Nous aussi, nous allons devenir vieux un jour et nous allons subir le même sort ! Pourquoi tu penses que je ne me suis jamais marié ! Pour que ma femme ne me demande jamais d'avoir des enfants. C'est trop cruel de finir sa vie comme mes grands-parents le font !

— Ouf ! On dirait que tu viens de te libérer d'un fardeau, Bruno ?

— Bien oui, désolé Anne-Marie.

— Je suis cent pour cent d'accord avec toi ! Moi aussi, j'aime beaucoup les personnes âgées… Elles ont beaucoup à nous apprendre et vu leur âge, elles ont un cheminement de vie beaucoup plus enrichissant que le nôtre.

— Exact ! Et quand j'entends la famille dire : « Je vous promets de venir vous voir bientôt. » *Bullshit !* Ils disent qu'ils ont juste une parole, mais bateau, ils n'ont pas de mémoire !

— Est-ce vrai, ce que tu dis ? Moi, si j'avais une grande famille comme la tienne, surtout des grands-parents comme les tiens, je serais toujours rendue là !

— Il n'y a rien qui t'empêche d'aller les voir plus souvent.

— C'est certain que je vais leur rendre visite maintenant que je le sais. J'avais peur de les déranger.

Avant de partir, Bruno avait déposé un baiser sur la joue d'Anne-Marie en lui disant qu'il reviendrait lui rendre visite, car sa mémoire à lui n'était pas défaillante.

Le premier janvier 1974, Anne-Marie avait invité les Hamelin pour souper, car ceux-ci avaient reçu leur famille le trente et un au soir. Toutefois, Bruno était absent, il avait festoyé à Montréal-Nord en compagnie de ses parents et de ses deux sœurs, Judith et Jacinthe.

Chapitre 4

MADELEINE

MALGRÉ L'ABONDANCE DE NEIGE, mars 1974 fut clément. L'hiver s'éternisait et les agriculteurs attendaient le dégel avec impatience pour enfin s'activer aux champs. Les bicyclettes dormaient encore dans les remises alors que les pelles demeuraient aux aguets sur les galeries engourdies.

Dans le rang du Ruisseau, les étourneaux et les carouges devenaient de plus en plus fréquents au-dessus des terres agricoles et les hululements des hiboux se faisaient entendre à l'orée des bois. D'ici une semaine, la neige mollirait pour que les érables puissent enfin se gonfler de leur eau sucrée. Alors, les fermiers les entailleraient pour enfin amener à leurs tonneaux le liquide précieux qui fait la joie des amateurs.

Malheureusement, le deuil s'était sournoisement installé chez les Hamelin. Midas avait remis son âme au Seigneur le trois mars et Juliette avait perdu toute son envie de vivre et refusait carrément de vendre la maison familiale. Ses enfants lui rendaient visite à tour de rôle pour tenter de la convaincre de s'installer dans un manoir ou une maison pour les aînés. Aujourd'hui, c'était son ancienne voisine de rang, madame Demers, qui était auprès d'elle pour lui vanter les mérites de la résidence pour retraités de Boucherville.

— Tu sais, quand nous avons vendu notre maison à mademoiselle Sirois, je ne te mentirai pas, Juliette, que nous étions effondrés, André et moi. Mais quand la raison embarque par-dessus le cœur, des fois, c'est elle qui gagne.

— Je comprends bien ça, mais vendre la maison, c'est comme si je faisais un coup de cochon à Midas, bout de bon Dieu !

— Tu penses ça, toi ? Eh bien ! Moi, je pense que Midas est bien plus inquiet de te voir rester ici toute seule !

— Nous avons habité ici soixante ans ! Comment veux-tu que je puisse mettre tout cela de côté ? Cette maison-là, c'était notre vie !

— Tu dois mettre ton cœur de côté pour un petit bout de temps pour que la raison prenne le dessus ! Tu sais, avec tous les souvenirs qu'il y a ici, les plus importants vont probablement s'en aller chez tes cinq enfants puis chez tes petits-enfants.

— Comment les années ont pu passer si vite ? Après nous être mariés, Midas et moi, en 1912, on riait quand on se disait : « Un jour, quand on va être vieux, puis que nos enfants vont être élevés, il va nous rester à gâter nos petits-enfants. » Nous avons huit petits-enfants. Bruno et Gabrielle, la fille de Jocelyn, qu'on voit juste de temps en temps. Quant à Robert, Donald, Benoît, Nicole et j'en passe, je pense que, pour eux, des vieux représentent seulement de vieilles croûtes qui attendent la mort !

— Voyons Juliette, parle pas comme ça !

Quand la vieillesse s'installe, que les cheveux se mêlent de fils argentés, que des sillons se creusent sur les visages fripés, que les membres s'affaiblissent et tremblent et que le cœur se fatigue, on a toujours besoin d'amour. Un peu comme ces vieux bancs de parc effrités par le temps et imprégnés d'histoires d'amour, que l'on continue de fréquenter pour s'échanger des je t'aime.

— Tu as peut-être raison, je ne peux pas vivre les années qu'il me reste dans mes souvenirs, il y en a trop ! Si je commence à conserver dans ma mémoire tout ce qui s'est passé depuis 1912, dans le peu d'années qu'il me reste à vivre, je ne verrai jamais autre chose ! Quand mon Midas est parti, je savais qu'il était prêt. Juste avant de mourir, il m'a dit, écoute Juliette, quand une personne a du mal, elle ne rentre pas à reculons dans le paradis. Je dirais même qu'il avait hâte d'aller se reposer dans l'au-delà en attendant ceux qu'il aime.

— Je pense que tu as tout compris, Juliette. C'est pour cela que tu devrais appeler l'agent d'immeubles. En plus, le mois de mars est le temps idéal pour vendre une maison.

— Ouf ! ça me fend le cœur, même si je sais que c'est cela qu'il faut que je fasse !

Le 13 avril 1974.
— Bonjour mademoiselle.
— Monsieur Jolicoeur !

— Hum ! Écoutez, je suis venu pour m'excuser pour ma maladresse le jour où je suis venu à la bibliothèque au mois de mai, il y a un an.

— Il n'y a aucun problème, vous cherchez un livre ?

— Non, pas vraiment, je venais juste m'excuser. Je vous avais confondue avec une autre personne.

— Justement, lorsque j'ai été engagée ici, la fille que j'ai remplacée s'appelait Marie-Anne Francoeur, c'est probablement elle que vous cherchiez ?

— Oui, j'aimerais bien qu'elle soit la personne que je recherche ! D'ailleurs, votre patronne, madame Bélanger, m'a informé qu'elle habitait Saint-Lambert, elle ne pouvait m'en dire plus. Je vais avoir de grosses recherches à faire.

— Bien oui, c'est comme essayer de trouver une aiguille dans une botte de foin. Puis, la Mauricie, ce n'est pas à côté non plus !

— Je vais rester un peu plus près bientôt. Je me suis acheté une maison par ici, je vais en prendre possession à la fin d'avril.

— Ah oui ! Pourquoi Contrecoeur ?

— Bien, c'est parce qu'à Trois-Rivières je n'ai plus d'attachement et je trouve que Contrecœur est une ville très accueillante.

— Vous restiez à Trois-Rivières ? Je viens de Trois-Rivières, moi aussi !

— Ah oui ? Le monde est petit ! Mais pour dire vrai, je restais à Trois-Rivières seulement depuis quatre ans, mais je suis né à Louiseville. A Trois-Rivières, j'enseignais à l'école primaire Saint-François-d'Assise.

— Ah bien ! C'est là que j'ai fait mon école primaire !

— Pas vrai ! J'ai peut-être enseigné dans votre ancienne classe ?

— Je n'en reviens pas ! Votre maison à Contrecœur, sur quelle rue l'avez-vous achetée ?

— Je ne déménage pas dans le village, j'ai acheté une vieille maison de deux cents ans dans le rang du Ruisseau.

— Quoi ?

— Anne-Marie Sirois, tu es dans une bibliothèque ! Pourrais-tu baisser le ton un peu ?

— Désolée, Solange !

— Vous avez l'air bien surprise, mademoiselle Sirois. Vous avez l'air de connaître le rang du Ruisseau ? Est-ce que j'aurais fait un mauvais choix ?

— Non non, vous devez avoir acheté la maison des Hamelin, c'est la seule maison qui était à vendre dans le rang !

— Vous êtes bien renseignée !

— C'est sûr, je demeure là dans le rang du Ruisseau !

— Vous demeurez dans le rang du Ruisseau ?

— Oui, ça fait presque trois ans, j'ai acheté la maison des Demers.

— Eh bien ! Donc, vous demeurez dans la maison de ma tante Rosalie ?

— Hein ! Qui avez-vous dit ?

— Rosalie…

— Non, pas du tout ! J'habite la maison des Demers, André Demers.

— Rosalie Belhumeur, la femme d'André Demers. Rosalie Belhumeur est la sœur de ma mère, Madeleine Belhumeur…

— Bien voyons donc, vous !

— Chut ! Anne-Marie, vous dérangez tout le monde !

— Excuse-moi Solange... Je n'en reviens pas, je reste dans la maison de votre tante !

— Je ne l'ai rencontrée qu'une seule fois. Je l'ai vue aux funérailles de ma mère à Louiseville, c'est là qu'elle m'a donné cette fameuse lettre que j'avais dans les mains quand je suis venu vous voir au mois de mai 1973.

— D'accord, et là j'imagine que vous allez aller à Saint-Lambert pour essayer de trouver cette Marie-Anne Jolicoeur ? Jolicoeur, peut-être est-ce votre cousine ?

— Non, elle serait probablement ma sœur...

— Ah oui !

— Chut !

— Écoutez, mademoiselle Sirois, au lieu de jaser ici, vu que je vais être votre nouveau voisin de rang. Pourquoi ne pas faire connaissance avant que je déménage près de chez vous ? C'est samedi, je pourrais vous inviter à souper ce soir ?

— Je ne sais pas trop.

— Un simple souper d'amis, mademoiselle...

— D'accord, à quel restaurant nous retrouvons-nous ?

— Est-ce que je pourrais passer vous prendre ? Cela me donnerait l'occasion de voir la maison où la sœur de ma mère a vécu ?

— Si vous voulez, vous pouvez passer vers cinq heures, on aura le temps de prendre un petit apéritif avant de partir.

— Vous me faites un grand plaisir, mademoiselle Sirois !

— Charles, pouvez-vous m'appeler par mon prénom ? Il me semble que le souper serait plus aisé non ?

Par un temps d'avril bien plus doux que la normale, Rosalie et André Demers furent agréablement surpris de voir arriver leur neveu qu'ils n'avaient côtoyé qu'une seule fois depuis le décès de sa mère. Les premiers instants furent assez embarrassants, mais la rencontre s'était vite animée quand Charles leur avait annoncé qu'il venait d'inviter à souper Anne-Marie, la gentille demoiselle qui avait acheté leur maison de campagne.

Mais la but de la visite de Charles était surtout d'obtenir des renseignements concernant sa famille.

Au moment où Madeleine Belhumeur avait convolé en justes noces avec Delphis Jolicoeur, les liens familiaux s'étaient brisés car Delphis avait interdit tout contact entre les deux sœurs.

Depuis la naissance de Marie-Anne, elles avaient cependant su maintenir leurs liens grâce aux lettres qu'elles continuaient de s'échanger.

— *Mon cher fils,*
Pourras-tu un jour me pardonner? Je sais la peine que tu auras quand tu liras cette lettre.

Avant ta venue, j'ai donné naissance à une petite fille, nous l'avons appelée Marie-Anne.

Ton père m'avait bien fait comprendre, lorsque je suis tombée enceinte, qu'il ne voulait pas avoir de fille. Ma grossesse fut très difficile, car je ne savais pas si j'aurais une fille ou un garçon.

Ton père, lui, il voulait un garçon pour travailler sur la terre et plus tard en prendre la relève. Tu as grandi sans le savoir en te formant une carapace et tu es parti étudier pour devenir professeur et, Dieu merci, tu as fait le bon choix.

Pourquoi ne t'ai-je jamais avoué que tu avait une sœur? Sans doute parce que je n'aurais jamais pu supporter que tu me renies à la suite de la décision de ton père.

Après qu'elle fut baptisée à l'église Saint-Antoine de Padoue, ici à Louiseville, dès mon premier pas sur le perron de l'église, ton père me l'a enlevée pour la remettre à ses parents adoptifs de Trois-Rivières. Elle n'est restée que deux jours à la maison.

Cette enfant-là, toute ma vie j'ai espéré la revoir. Et depuis ce temps j'ai le cœur en mille morceaux. C'est toi qui es venu cicatriser une partie de mon cœur de mère et qui a fait que j'ai pu vivre jusqu'à aujourd'hui.

Je sais que mon départ est pour bientôt, car Dieu me l'a signifié. Je vais poster cette lettre à ma sœur Rosalie qui habite à Contrecœur. Ta tante, que tu n'as jamais eu l'occasion de rencontrer, te remettra cette lettre quand je serai rendue au paradis, à condition que Dieu veuille bien m'accepter dans son royaume.

Je ne te demande pas de retrouver ta sœur, même si je sais que tu essaieras de le faire, et si un jour tu te retrouves devant elle, je voudrais que tu lui dises de ma part que je l'aime profondément.

Je t'aime, mon Charles. N'oublie pas Charles, ne te retourne jamais vers ce passé que tu connais à peine et qui pourrait te blesser. La vie qui est devant toi est cent fois plus belle que le chemin que j'ai pu suivre tout au long de ces années pathétiques.

Ta mère qui t'aimera toujours,
Madeleine
XX

— Si j'avais su avant qu'elle parte, j'aurais tout fait pour
retrouver ma sœur pour qu'elle ait eu au moins le bonheur
de la serrer dans ses bras avant de mourir.

— Regarde Charles, elle est partie en paix en sachant qu'un
jour tu dirais à ta petite sœur à quel point sa mère l'aimait.

— Je ne savais pas que tu existais, ma tante. Elle ne m'en
avait jamais parlé, sinon…

— Elle m'écrivait à l'insu de ton père parce que s'il avait su,
je ne sais pas ce qu'il aurait fait endurer à ta pauvre mère.
On ne s'était pas beaucoup écrit, cinq lettres tout au plus.

— Les as-tu encore ces lettres-là ?

— Non, malheureusement, depuis que nous avons déménagé, je ne les trouve plus. Elle avait même écrit une lettre
pour ta sœur qui date de 1945 que je n'ai jamais ouverte.
C'est peut-être André qui les a jetées dans le déménagement. Ton oncle André n'est pas toujours lucide. Comme
tu as pu le remarquer, sa mémoire en a pris un coup depuis
cinq ans. Un jour, peut-être, on retrouvera ces lettres-là…
on ne sait jamais !

— Par chance que tu as conservé celle-ci près de toi ! Je
n'aurais jamais su que j'avais une sœur ! J'espère que je vais
la retrouver. Pour l'instant, je sais seulement qu'elle reste à
Saint-Lambert. Je n'ai aucune adresse, ma mère ne m'a pas
écrit non plus sa date de naissance, et en plus, elle porte le
nom de Francoeur aujourd'hui.

— Écoute Charles, commence par t'installer dans ta nouvelle maison à Contrecœur, après tu pourras commencer tes recherches. Cela fait trente-deux ans que tu ignorais son existence, ce n'est pas un mois ou une semaine de plus qui va déranger tes recherches. Tu dois aussi te préparer pour ton nouvel emploi de professeur en septembre. Mais il y a une chose que je veux que tu me promettes…

— Quoi ?

— Si tu retrouves ta sœur, ne lui dis jamais que ta mère lui avait écrit une lettre, elle serait trop déçue de ne pas la lire.

— Oui ma tante, je te le promets. Une dernière question si tu veux ?

— Bien sûr…

— Comment as-tu su ?

— Quoi ?

— Bien que Marie-Anne habitait à Contrecœur et qu'elle travaillait à la bibliothèque.

— Ah ! C'est la providence qui s'est jetée devant moi cette journée-là !

— Comment ça ?

— La journée du service de ta mère, tu étais déjà partie au cimetière. C'est le curé Durand qui m'a donné cette lettre que ta mère lui avait demandé de me remettre en personne après les obsèques. Y avait aussi une vieille femme pas loin de moi. Cette vieille-là était sage-femme.

— Qu'est-ce que c'est une sage-femme. ?

— C'est une femme qui accouche les femmes dans leurs maisons.

— Quel est le rapport avec ma mère ?

— Si tu me laissais terminer ma phrase, je pourrais bien t'expliquer, Charles.

— Désolé ma tante

— Elle m'avait dit qu'elle avait eu beaucoup de peine quand Marie-Anne avait été adoptée en 1942.

— Et qui sont les gens qui l'ont adoptée ?

— Elle n'a jamais voulu me le dire. Elle m'a simplement dit qu'elle avait été adoptée par des gens de Trois-Rivières. Ce que je savais déjà.

— Je comprends bien ma tante, mais comment as-tu fait pour savoir qu'elle habitait à Contrecœur ma sœur ?

— J'y arrive, Charles... Cette vieille femme avait déménagé à Trois-Rivières à deux maisons des parents adoptifs de Marie-Anne. Elle m'avait dit que Marie-Anne la prenait pour sa grand-mère tellement elles étaient proches toutes les deux. Les liens s'étaient coupés quand le père adoptif de ta sœur avait découvert l'endroit où elle l'attendait à la sortie de son école.

— Et ?

— Après, le temps et les années ont fini par passer et quand Marie-Anne a vendu la maison de ses parents quand ils sont morts, elle a laissé son logement du centre-ville pour déménager à Contrecoeur. Elle faisait suivre son courrier par une voisine et c'est comme ça que la vieille femme avait pu avoir son adresse en se faisant passer pour sa grand-mère.

— Eh bien ! C'est elle qui t'a tout raconté ça ?

— Oui, je peux te dire que quand elle prononçait le nom de ta sœur, elle avait le regard d'une vraie grand-maman. Je n'en sais pas plus mon garçon... Dans les années 40, les travailleurs sociaux avaient fait leur apparition avec les familles d'accueil et les orphelinats. Heureusement que ta sœur n'avait pas été placée dans ces institutions. Ces établissements étaient bourrés d'enfants, jamais ils n'auraient dévoilé quoi que soit sur le nom ou les adresses des enfants qui étaient adoptés. C'était confidentiel ! Au début des années 70, avec l'arrivée de la pilule anticonceptionnelle, il y a eu une baisse d'enfants abandonnés. Le temps a commencé à évoluer, les femmes monoparentales pouvaient élever leurs enfants du fait qu'elles travaillaient. C'est cela qui avait fait baisser le nombre des enfants abandonnés dans les crèches et les orphelinats.

— Cela a changé depuis…

— Oui ! Imagine-toi, dans les années 30, il y avait une fenêtre à l'entrée de certaines églises pour déposer les enfants des mères qui ne pouvaient pas en prendre soin.

— Bien voyons donc, ma tante ! Ça n'a pas de bon sens ! Heureusement que Marie-Anne avait été adoptée avant sa sortie de l'hôpital. On ne sait pas sur quelle sorte de famille elle aurait pu tomber ! D'un autre côté, on ne le sait pas plus aujourd'hui, on n'a pas leur nom.

— Bien oui, mon garçon…

— A quelle heure qu'on dîne, Rosalie ?

— Voyons André, il est trois heures ! Tu as mangé des côtelettes de porc à midi, tu ne t'en souviens pas ?

— C'est-tu vrai ça ?

— Bien oui ! Ce soir, je vais te faire une omelette au jambon.

— Restes-tu à dîner avec nous, Charles ?

— Bien non mon oncle, je t'ai dit tout à l'heure que je m'en allais chercher Anne-Marie pour souper. Tu sais, la femme qui a acheté ta maison dans le rang du Ruisseau !

— Hein ! Y a quelqu'un qui reste dans ma maison ?

— Bien oui, mon vieux ! Peut-être qu'un jour on va y retourner dans notre maison ? On ne sait pas l'avenir !

Chapitre 5

CHARLES

DANS LE RANG DU RUISSEAU, des arbres imposants je-
taient leur ombre sur le chemin cabossé et certains plus
petits, probablement nés dix ans après, essayaient tout simplement de grandir.

La soleil rayonnait encore quand Charles s'était retrouvé devant la maison des Hamelin qui serait bientôt la
sienne. Un grand saule courbé vers le sol versait ses pleurs
et, tout près, un peuplier centenaire semblait n'attendre que
la venue de ce nouveau propriétaire pour reprendre la vie
comme autrefois.

En immobilisant sa voiture près de l'entrée où des pissenlits courraient et courraient jusqu'à la fondation de la
maison, l'euphorie s'était soudainement emparée de lui.

La grande galerie fatiguée se reposait des intempéries
de l'hiver et les fenêtres craquelées ne demandaient qu'à
être restaurées pour survivre une autre décennie. Une volée
d'oiseaux migrateurs, étourdis d'avoir voyagé, nichait sur le
rebord de la vieille cheminée de pierres.

Dans la cour arrière de la maison, installé sur une grosse pierre recouverte de mousse verdâtre tout près du vieux
puits condamné, Charles rêvait à de nouveaux projets. Une
balançoire pour toiser le clair de lune, un jardin rempli de

bons fruits et de légumes frais. Après avoir été récolté, ce-lui-ci se métamorphoserait en une grande patinoire comme au temps de sa jeunesse à Louiseville, et, qui sait, Made-leine descendrait de son nuage pour venir lui préparer un bon chocolat chaud.

C'est avec les yeux remplis de larmes qu'il se décida à remonter dans sa voiture.

— Hé monsieur !

— Oui ?

— Qu'est-ce que vous faites sur la terre des Hamelin ?

Charles s'approcha de l'homme.

— Bonjour monsieur ! Je suis le nouveau propriétaire.

— Ah ! Bonjour, je suis votre voisin, Hubert Tessier.

— Ça me fait plaisir, monsieur Tessier. Je suis Charles Jo-licoeur, cela fait longtemps que vous demeurez dans le rang du Ruisseau ?

— Ça fait trente ans, monsieur ! Et ce n'est pas demain la veille que nous allons déguerpir d'ici, moi et ma Pauline ! Pauline, viens par ici, je vais te présenter notre nouveau voi-sin !

— Bonjour monsieur, enchantée. Votre femme n'est pas là ?

— Bien non, je ne suis pas marié.

— Et vous pensez que vous allez être capable d'entretenir cette grande maison-là tout seul ?

— Vous savez madame, j'ai été élevé sur une terre, et donc je pense bien pouvoir m'occuper d'une grande maison.

— C'est un fait ça, monsieur… monsieur ?

— Charles Jolicoeur.

— Bon bien Charles, est-ce qu'on peut vous inviter pour venir prendre un café chez nous ?

— Voyons, Mémène ! Tu ne vas pas offrir un bubusse à monsieur Jolicoeur ! Une bonne bière frette nous rafraîchirait bien plus le gosier.

— Un bubusse ?

— C'est une expression pour faire étriver ma femme quand elle me fait un café clair comme de l'eau de vaisselle.

— Ah d'accord ! Je vous remercie, ce sera pour une autre fois, j'ai rendez-vous chez mademoiselle Sirois.

— La belle Anne-Marie ?

— Bien oui, vous la connaissez ?

— C'est sûr qu'on la connaît, verrat ! Ça fait presque trois ans qu'elle reste dans le rang du Ruisseau, elle a acheté la maison des Demers !

— Je sais tout cela, elle a acheté la maison de ma tante Rosalie.

— Les Demers, c'est parent avec vous ? Ah bien ! Cré maudit ! On aura tout vu ! De quel endroit venez-vous ?

— De Louiseville, je travaillais à Trois-Rivières avant.

— Eh ben ! Puis votre travail, c'était quoi ?

— Enseignant dans une école primaire.

— Eh ben ! Eh ben ! Un professeur.

— Pendant que vous allez faire connaissance vous deux, moi je vais aller faire une bailler de hardes.

— Une quoi ?

Monsieur Tessier eut un rire moqueur.

— On voit que vous n'êtes pas de la campagne, vous ! Une bailler de hardes, c'est une brassée de lavage, monsieur Charles.

— Ah bon, je vois... Oups ! Déjà cinq heures cinq, il faut que j'y aille, je suis en retard. Ce fut un plaisir de vous rencontrer, on aura sûrement l'occasion de se reparler ?

— Bien sûr, surtout ne comptez pas les tours. Nous ne sommes pas sorteux. Viens Mémène.

Chez Anne-Marie, sur les larges planches de bois de la galerie trônait une vieille chaise en bois défraîchie de couleur d'ambre brûlé. Tout près de la porte, deux jolies jardinières blanches se balançaient au vent, semblant attendre impatiemment les fleurs de mai. Charles n'avait pas encore franchi le seuil qu'une délicate odeur d'eucalyptus et de pin l'envahit.

— Bonjour ! Entrez !

— Bonjour Anne-Marie, c'est très joli ici !

— Ce n'est pas très grand, mais j'adore ma petite maison...

— Voulez-vous bien me dire comment ma tante Rosalie a bien pu faire pour élever cinq enfants ici ? Il n'y a qu'une chambre à coucher !

— Elle m'avait dit, quand j'ai visité la maison, il y a trois ans, que le salon servait de chambre à coucher. Monsieur et madame Demers dormaient dans la chambre et monsieur Demers, votre oncle André, avait construit pour les enfants un lit superposé qu'il avait mis au salon. Les deux autres dormaient au grenier. Aujourd'hui dans ce grenier, il n'y a plus que mademoiselle Pétronie et les souvenirs qu'ils n'ont pu emporter avec eux.

— Mademoiselle Pétronie ?

— Oui, c'est une vieille poupée de porcelaine qui est assise sur le rebord de la lucarne depuis au moins cinquante ans.

— Aimeriez-vous prendre une bière, un Pineau des Charentes ?

— Si cela ne vous dérange pas, j'aimerais mieux une bière. Tout à l'heure, j'ai fait la connaissance de monsieur et madame Tessier.

— Ah oui ! C'est du bien bon monde, à condition de s'habituer à leur jargon.

— Oui, ils ont de drôles d'expressions !

— Je suis d'accord, lorsque je suis arrivée dans le rang, j'avais été un peu embarrassée par leur approche. Mais avec le temps, j'ai compris que ce sont des gens avec un cœur d'or, même si madame Pauline ne se mêle pas toujours de ses affaires.

— Est-ce qu'ils ont eu des enfants ? Ils ont l'air à vivre tout seuls dans cette grande maison-là…

— Oui, ils en ont eu deux, Marielle et Nicole. Lorsque la plus vieille vient visiter ses parents, elle ne part pas sans venir prendre un café avec moi. Pour revenir à madame Pauline, cette femme-là n'aurait pas un sou, qu'elle t'en donnerait quand même. Des gens bien serviables. Quand j'ai acheté ma corde à linge, monsieur Tessier s'est offert tout de suite pour venir me l'installer. Vous êtes allé chez votre oncle et votre tante cet après-midi ?

— Oui, quand j'ai quitté la bibliothèque, je suis parti tout de suite à Boucherville. Croyez-moi, j'ai eu pas mal d'explications concernant ma mère et ma sœur, mais je ne suis pas plus avancé dans mes recherches.

— Il est certain que cela peut être long, mais avec du temps et de la patience, comme on dit, vous allez la retrouver votre sœur.

— J'espère bien, avez-vous pensé à un endroit pour le souper, Anne-Marie ?

— Nous pourrions souper ici, si ça vous tente. On pourrait manger des pâtes, j'ai fait une sauce à spaghetti hier.

— Ah ! bien là, je ne voudrais pas vous donner tout ce mal ! Mais si vous insistez, je ne dirais pas non, d'autant plus que le spaghetti est mon plat préféré.

— Pas vrai ?

— Des pâtes, j'en mangerais tous les jours si ce n'était que de moi.

— D'accord pour le spaghetti. Vous aimez la salade César ?

— Eh ! Comment ! Mais je n'ai rien apporté. Si j'avais su, j'aurais pu apporter une bouteille de vin. D'ailleurs, est-ce qu'il y a une épicerie dans le coin ?

— Oui, il y en a une sur la grande route, juste à droite en sortant du rang. Mais vous n'êtes pas obligé, on peut prendre une liqueur et j'ai aussi de l'eau Perrier.

— Attendez-moi, je reviens. Il faut arroser notre premier souper avec une bonne bouteille !

Solange arriva comme un coup de vent quand elle avait vu Charles quitter la maison d'Anne-Marie.

— Il est déjà parti ?

— Tu es donc bien écornifleuse, toi ! Tu nous espionnes ?

— Bien non, je sortais de chez moi et je l'ai vu partir !

— Il est seulement parti acheter du vin.

— Et ?

— Et… qu'est-ce que tu veux que je te dise que je ne sais pas moi-même, ma vieille ?

— Ouin, en tout cas, il ne se promène pas à pied ton Charles, une Plymouth Road Runner 1974 !

— Ce n'est pas mon Charles, Solange ! Il est venu ici pour un souper d'amis en tant que nouveau voisin.

— Bien oui ! Bien oui ! Je suppose que j'ai une poignée dans le dos ?

— Tu te fais des idées, ma belle vieille ! Je t'ai déjà dit qu'un homme de cette classe-là ne peut pas s'intéresser à moi.

— Est-ce que tu t'es regardée dans le miroir ? Une belle robe soleil blanc cassé, un maquillage parfait. Tu as même mis des talons hauts, seigneur de Dieu !

— Je n'étais quand même pas pour le recevoir avec mes jeans percés !

— Bien non, bien non… En tout cas, si ton père te voyait aujourd'hui, il regretterait de t'avoir appelée la vieille laide. Parce que tu es belle sans bon sens !

— Voyons Solange, j'ai juste mis une robe.

— Oui, puis tes grands cheveux acajou, je pense que je ne les ai jamais vus autrement qu'avec des barrettes ou de gros élastiques, ils sont magnifiques !

— Mon Dieu ! À t'entendre, j'avais l'air de faire dur sans bon sens avant !

— Non, c'est tout un changement de personnalité. Bon bien, je vais y aller avant qu'il ne revienne ton prince.

— Ce n'est pas mon prince Solange, c'est un ami.

— Ouin, ouin…

Le temps s'était envolé et sur la table, il ne restait que les deux bougies dorées et deux verres de porto. Le soleil s'était couché et la lune tentait de se montrer à travers les nuages. Un vent doux s'était levé et faisait danser les rideaux de dentelle blancs. Une pluie printanière allait bientôt tomber, accompagnée de son murmure habituel sur la toiture d'acier ondulée. Le temps filait, ils discutèrent de tout et de rien.

— J'ai très bien mangé Anne-Marie, c'était délicieux ! Et je peux te dire que cela faisait une éternité que je n'avais pas été en si bonne compagnie. Tu es vraiment intéressante et je ne me lasse pas de t'écouter raconter ton histoire.

— Moi aussi, je te trouve très intéressant Charles. Mais je suis presque gênée, je n'ai pas cessé de parler de moi, j'aimerais bien que tu me racontes à ton tour, l'enfance que tu as eue à Louiseville.

— Ouf… je ne l'ai pas eu plus facile que toi ma chère ! Ma mère ne cessait pas de me protéger pendant que mon père s'entêtait à vouloir m'initier à la ferme. Quand je rentrais de l'école, je n'avais même pas le temps de déposer mon sac d'école dans la petite cuisinette que mon père criait déjà après moi. Je devais immédiatement le rejoindre dans la grange ou dans l'écurie. Je faisais mes devoirs et mes leçons à la brunante, et le lendemain matin à six heures et demie, il criait encore après moi pour me sortir du lit en me traitant de paresseux.

— Sainte mère ! Mais qu'est-ce qu'un enfant de dix ans pouvait bien faire sur une terre à part d'aider à faire le train et à faire du ménage ?

— Il y avait toujours à faire, Anne-Marie, et je te dis qu'il fallait avoir de bons bras ! Il fallait traire les vaches et les nourrir. À neuf ans, je chauffais déjà le gros tracteur pour faire les foins au mois d'août ! Mon père m'a fait assez suer, comme on pourrait dire, pour que je m'écœure complètement de la vie d'agriculteur. Quand je lui ai annoncé que je partais étudier à Trois- Rivières à l'âge de dix-huit ans, je pense que si la fourche avec laquelle on ramassait les bottes de foin avait été à côté de lui, je suis certain qu'il me l'aurait plantée dans le corps !

— Voyons donc ! À ce point-là ?

— Tu n'as jamais connu mon père, toi ! Regarde ici, tu vois la cicatrice sur mon doigt là ?

— Oui...

— Un matin où je venais juste de mettre la crème dans la centrifugeuse pour la séparer du lait. Charles prit une pose et reprit.

— Je me suis entaillé un doigt et si ma mère n'était pas arrivée à temps, je pense qu'il me tuait !

— Je n'en reviens pas ! Ton père n'a rien fait quand il a vu que tu venais de te couper ?

— Tu rêves ! Il avait déjà la pelle dans les mains pour m'en sacrer un coup sur la tête parce qu'il s'était aperçu que j'avais laissé tomber du sang dans sa crème blanche.

— Excuse-moi, mais il était donc bien sans cœur ton père !

— Oui. Puis quand il est mort, je peux t'assurer qu'il n'avait pas volé la place de personne !

— Comment est-il mort ?

— Il s'est pris le bras dans la faucheuse en essayant de débloquer un blé d'Inde. Je pense que je ne te détaillerai pas la suite, car il n'y a pas juste le bras qui y est passé.

— Non !

— Bien oui… En tout cas, tout ça pour dire que mon père était un homme haineux et c'est pour cela que je n'ai jamais pu l'appeler papa.

— Pauvre toi ! Tu as les yeux pleins d'eau.

— Ce n'est pas grave. Je l'ai assez haï cet homme-là ! Il me prenait pour un bâtard au lieu de me prendre pour son propre fils. Et pour tout ce qu'il faisait subir à ma mère, je n'ai jamais été capable de le regarder dans les yeux tellement il me répugnait. J'espère juste, depuis que ma mère est partie, qu'ils n'ont pas eu à se rencontrer en haut. De toute façon, il doit avoir été envoyé directement en enfer.

— Pauvre toi ! lui dit-elle, en déposant sa main tout doucement sur la sienne. Par chance que tu as eu l'amour de ta mère !

— Pauvre Madeleine, tu ne peux pas savoir comment j'aimerais qu'elle soit là aujourd'hui ! Je l'aurais amenée vivre avec moi dans le rang du Ruisseau. Elle n'aurait pas eu à travailler comme une esclave. Elle aurait eu seulement le plaisir de planter ses fleurs préférées dans le jardin. Elle aurait pu se balancer dans la vieille balançoire que j'aurais toute décapée et que j'aurais peinte en rose pour elle. Toi, ta mère, elle n'était pas plus proche de toi, c'est cela ?

— Ma mère, c'était la reine des paresseuses dans la maison ! Je ne lui donnais pas son bain et c'est tout juste ! Je n'étais pas seulement la vieille laide de mon père, j'étais sa bonne à tout faire et son souffre-douleur. Mais, il y a peut-être un bon côté dans tout ça, cela m'a donné l'occasion d'apprendre à cuisiner.

— Tu faisais les repas en plus ?

— Oui, à sept ans je faisais le déjeuner de mon père avant de partir pour l'école. Quand j'arrivais le soir, après avoir été embrasser ma grand-mère qui, elle, m'aimait sans condition, je devais faire le souper, la vaisselle et tout le tralala… Tiens, on va avoir un orage bientôt !

— Dieu que tu es belle Anne-Marie !

À ces mots si doux, Anne-Marie avait tressailli et son cœur en avait été chaviré. Charles caressa doucement son visage de ses mains chaudes et tremblantes, ce qui la fit frémir. Étonnée, elle n'eut pas le temps de souffler un mot. Il se rapprocha d'elle et les yeux dans les yeux, il lui effleura les tempes et glissa ses mains sur son cou, puis il posa ses lèvres doucement sur les siennes et, comme par magie, l'orage éclata.

C'était savoureux et sauvage à la fois. Elle lui rendit son baiser avec fougue et tout son être brûlait d'un désir qu'elle n'avait jamais ressenti auparavant. Elle aurait voulu arrêter ce moment précieux, mais au même moment, il la souleva comme une princesse et elle se laissa emporter jusque sur le grand lit turquoise. Elle voulait crier que cela était trop pour elle et que le simple baiser aurait suffi à la rendre heureuse.

— J'ai peur de te faire mal Anne-Marie, guide-moi vers tes envies et je suivrai le chemin que tu me traceras.

— J'ai envie de toi Charles.

Tout doucement, il fit glisser les minuscules bretelles de ses épaules et il commença à goûter sa peau qui, selon lui, avait la saveur du ciel. Elle se mit à haleter et il comprit qu'elle était avide de ses caresses.

— Je te veux, mais j'ai peur de te décevoir, Charles.

— C'est moi qui devrais avoir peur de te décevoir, Anne-Marie. Tu es si belle et tellement délicate, j'ai peur de te briser.

Une infinie tendresse l'envahit. Quand il entra en elle, elle se mit à se déhancher et à gémir de plaisir afin d'assouvir un désir incontrôlable. Il lui murmura à l'oreille de suivre la cadence avec lui, pour qu'ils puissent ensemble se retrouver au paradis des merveilles.

— Pendant que je t'embrassais juste avant qu'on fasse l'amour, j'ai essayé de te déshabiller sans te toucher, mais cela a été plus fort que moi et maintenant, j'ai peur de t'avoir brusquée… J'avais tellement envie de toi !

— Écoute Charles, quand tu m'as embrassée, intérieurement, je ne voulais pas aller plus loin. Mais c'était si bon lorsque je suis montée rejoindre les anges que si j'avais pu, je ne serais jamais redescendue !

— Dieu que tu es belle ! Dis-moi que je ne rêve pas, que tu es vraiment là dans mes bras.

— Je suis là Charles et je veux y rester.

Chapitre 6

LE DÉMÉNAGEMENT

— MAIS MADAME PAULINE, le livre que vous aviez choisi n'est pas un livre pour vous ! Pour vos premières lectures, il aurait fallu que vous commenciez par lire des livres d'auteurs québécois ! Comme Michel Tremblay, Claude Jasmin ou Marcelyne Claudais peut-être.

— Bien oui, parce que là, je me suis découragée en commençant à lire ce livre-là. Tu sais, des romans où il faut que je sorte le dictionnaire chaque fois que je commence à lire une nouvelle ligne, ça me donne de l'urticaire, cibole !

— Chut…

— Désolée, madame Bélanger.

Une semaine s'était écoulée depuis la visite de Charles chez Anne-Marie et elle continuait de flotter sur un nuage qui avait transformé son quotidien. Et ce sentiment semblait ne plus vouloir la quitter.

Pour Charles, c'était la journée tant espérée. Il déménageait dans le rang du Ruisseau. Le camion de déménagement s'était pointé devant la vieille maison des Hamelin à neuf heures trente sous un soleil radieux. Malheureusement, tous les meubles de style moderne que Charles possédait à Trois-Rivières n'allaient plus du tout avec la vieille maison centenaire.

— Allo, Anne-Marie.

— Hey Solange ! Tu es en retard ce matin, toi !

— Ne m'en parle pas ! Je n'ai pas dormi de la nuit, seigneur de Dieu !

— Comment ça ? Es-tu malade ?

— Non… c'est Jean-Claude, y avait une fête hier soir à la Brasserie de l'Acier, ils fêtaient un collègue qui prenait sa retraite.

— Ne me dis pas que tu ne t'es pas couchée pour l'attendre ?

— C'est cela, puis il est rentré à quatre heures du matin !

— C'est pour cela que tu as les yeux comme des culs de bouteille ?

— Pauvre cocotte… vous êtes cernée jusqu'en dessous des bras ! Ma mère disait toujours : «marie-toi donc devant ta porte avec un gars de ta sorte aussi !»

— Voyons, madame Pauline ! Mon mari n'est pas un courailleux.

— Moi, si j'avais un homme qui passait toute la nuit dans les clubs, j'aurais besoin d'avoir de bonnes explications parce que de la soutane, moi, je ne digère pas ça !

— Il a juste fêté avec ses chums et quand la brasserie a fermé, ils sont montés à Tracy pour manger du poulet chez Sorel-Tracy bbq. Il n'a rien fait de mal !

Eh qu'elle m'énerve elle ! Est-ce qu'elle va se mêler de ses affaires un jour ? se dit-elle.

— Si vous le croyez, votre mari, bien tant mieux pour vous ! Regardez, ce n'est pas que je veux me mêler de votre vie privée, mais un homme qui sort sans sa femme puis qui rentre à l'heure que les poules se lèvent, dans mon livre à moi, c'est un hypocrite !

— Bien voyons, madame Pauline ! Un homme a bien le droit d'avoir des loisirs, sainte mère !

— Attends Anne-Marie ! Dans quelques mois, tu me donneras des nouvelles de ton beau roman d'amour avec monsieur Jolicoeur ! Il ne vient pas de par chez nous, nous ne le connaissons pas pantoute, ce gars-là !

— Tu es amoureuse, Anne-Marie Sirois ? Ah bien christie !

— Bon bien ! Moi je vais y aller, il faut que je passe au presbytère pour donner une boîte de linge à monsieur le curé. Il y en a du monde pauvre sur la terre. Le curé ne fournit pas de leur donner des guenilles puis des cannages !

— Bien oui, je vais dire comme on dit : «Dieu doit aimer les pauvres, sinon il n'en aurait pas créé autant.»

— Oui, exact Anne-Marie, vous avez mis le doigt en plein sur le bobo ! Bon bien, bonne journée mesdemoiselles…

— Serais-tu amoureuse pour vrai ?

— Tu sais comment madame Pauline aime en mettre !

— Une cruche ! Ne me prends pas pour une cruche, toi ! As-tu vu tes yeux ? Ils sont pleins d'étincelles !

— D'accord, quand Charles est venu souper samedi passé, bien il a veillé plus tard que prévu.

— Parle Anne-Marie, je ne me possède plus, moi !

— Bon… il m'a embrassée.

— Non !

— Et tu sais…

— Quoi ?

— Quand il m'a embrassée, il s'est mis à mouiller à boire debout. J'ai pensé à toi, ma vieille.

— Ah! Ah! Je t'avais souhaité de la pluie la journée où tu tomberais amoureuse! Allez-vous vous revoir?

— Oui, on s'est vu mardi soir, et là, il est à Trois-Rivières pour finaliser son déménagement, car c'est aujourd'hui qu'il déménage dans le rang du Ruisseau.

— Ah! Je suis passée devant chez lui tantôt et je n'ai vu aucun camion de déménagement.

— Le camion est peut-être en retard, ma Solange!

— Peut-être et puis après qu'il t'a embrassée est-ce que vous avez baisé?

— Tu es donc bien indiscrète, toi!

— Voyons Anne-Marie, on est des amies, on se confie tout. Je ne veux pas que tu entres dans les détails quand même!

— Bon... Après qu'il m'a embrassée et qu'il se soit mis à mouiller, la pluie a tourné à l'orage... et c'était merveilleux.

— Je le savais, je le savais...

Quand Anne-Marie est arrivée devant la maison de Charles, il n'y avait en effet pas de camion. Son auto était là, mais elle eut l'impression que personne n'était dans la maison ni dans la cour arrière tellement c'était silencieux. Elle grimpa les marches branlantes et se décida à frapper à la porte. Charles, sur le seuil de la porte, l'accueillit de son charmant sourire.

— Tu attends encore le camion de déménagement?

— Bien non ma douce, ils sont venus à dix heures et demie et ils sont repartis avec tous les meubles.

— Qu'est-ce qu'il y a Charles, tu ne veux plus déménager?

— Ma pauvre chérie ne prend pas cela comme ça ! C'est certain que je déménage ici ! Ce sont les meubles qui n'ont pas voulu entrer ! Ils ne se sont pas sentis à l'aise quand ils ont vu que leur nouvelle maison attendait des meubles de son époque.

— Ouf ! Je suis soulagée. Mais où sont tes meubles ?

— J'ai payé les deux gars et ils sont repartis les livrer dans un comptoir familial à Nicolet. Donc, des gens démunis vont pouvoir en profiter.

— Eh bien ! Que vas-tu faire maintenant ?

— J'avais pensé que si tu voulais m'héberger pour ce soir, demain je pourrais aller faire le tour des encans et des antiquaires pour me trouver des meubles anciens. Et j'aimerais bien si tu pouvais m'accompagner.

— Ce sera un grand plaisir pour moi Charles. Mais chez moi, je n'ai qu'une seule chambre à coucher !

— Je vais dormir au pied du lit avec Grison.

— Viens avec moi, je vais te montrer que mon lit est largement grand pour nous deux et, de toute façon, on sera tellement collés que c'est Grison qui aura toute la place !

Les mois de mai, juin et juillet ne seraient jamais assez longs pour finaliser la restauration que Charles voulait entreprendre chez lui. Le plus important c'était une nouvelle fenestration et de nouvelles gouttières. Repeindre la grande galerie serait aussi nécessaire que le grand nettoyage du terrain envahi de mauvaises herbes et de pissenlits. À l'intérieur, l'élégance des boiseries et le superbe plafond de cèdre garderaient leur charme mais le parquet en bois de chêne naturel devait être reverni. Tous les biens des Hamelin avaient été déménagés à l'exception du poêle en fonte

Islet datant de mille neuf cent dix, tout émaillé de blanc et rehaussé de chrome. Dans le salon, un nouveau lustre prendrait la place de l'ancien, au centre d'une jolie rosace enrichie de reliefs dorés. Côte à côte, les chambres à coucher seraient peintes de belles teintes chaudes et la salle de bain conserverait son comptoir de marbre rose et son bain antique de fonte blanche avec ses grosses pattes arrondies.

Le dimanche matin à dix heures, ils s'étaient rendus à la Colonie des Grèves afin qu'Anne-Marie assiste le curé Forcier à la communion des vacanciers et Charles fut agréablement ravi de son accueil.

Sur la route de Yamaska, dans une grange joliment décorée, ils dénichèrent un ameublement complet de chambre à coucher. Il était en noyer satiné et il comprenait un bureau triple avec un miroir ovale, une huche et deux tables de nuit. En se dirigeant vers la sortie, ils virent un magnifique banc de quêteux en chêne massif, certifié des années mille huit cent. Pour la chambre secondaire, ils achetèrent un immense secrétaire de style mission en érable, un grand tapis persan bourgogne ainsi qu'une magnifique lampe grand-mère en porcelaine ivoire.

Chez un brocanteur dans le village de Saint-Aimé, ils trouvèrent une grande table ovale en bois de merisier, six chaises dont deux capitaines et un imposant vaisselier en chêne doré orné de deux grands vitraux. Pour le mobilier du salon, hélas, malgré le choix très vaste, rien ne plut à

Charles. Il décida d'attendre un peu pour trouver ce qui lui convenait.

Pour le dîner, Anne-Marie s'était fait une joie de préparer tôt le matin une corbeille de petits pains au poulet et une salade printanière arrosée d'une vinaigrette à l'érable, sans omettre une bonne bouteille de vin rouge qu'ils ont sirotée doucement sur les bords de la rivière Yamaska.

Ils étaient seuls au monde. Le soleil du premier mai réchauffait le doux printemps. La rivière libérée de ses glaces suivait la cadence du vent sans se préoccuper des petits moutons blancs qui la poursuivaient. Une grande nappe tachetée de rose et de lilas se détachait sur le tapis de verdure et, au pied du grand chêne, deux corps nus assouvis de caresses se reposaient tendrement.

— Je t'aime Anne-Marie… Dieu que l'on est bien ! Dismoi que tu vas être toujours près de moi, ma douce.

— Oui, mon amour ! Je serai là tant que tu le voudras…

— C'est drôle…

— Quoi ?

— La première fois que je t'ai vue à la bibliothèque, je t'avais perçue comme une personne très froide, mais je voulais te revoir car, dans ma tête, c'est moi qui avais été maladroit. Et j'étais persuadé qu'une si belle personne ne pouvait être qu'une princesse aux pattes de velours.

— Tu sais, je suis peut-être douce comme tu dis, mais il m'arrive aussi de sortir de mes gonds.

— Je ne te crois pas ! Donne-moi un exemple.

— Ouf ! Mais c'est bien loin tout ça.

— Allez, raconte-moi.

— D'accord ! Cela fait déjà sept ans, j'habitais sur la rue des Forges à Trois-Rivières. J'avais vingt-six ans. Mon voisin s'appelait Laurent… oui, c'est cela, Laurent Dion. Il était marié et il avait trois enfants. Sa femme, Annick, était très jolie, je dirais même qu'elle ressemble à une madone.

— Que s'est-il passé ?

— Un vendredi, je m'en souviens comme si c'était hier, sainte mère ! je venais juste de m'acheter trois toiles pour les installer dans les fenêtres de mon logement. En montant l'escalier, une des toiles m'a glissé des mains et elle est passée au travers des marches pour se retrouver sur son perron.

— Il ne l'a pas eu sur la tête au moins ?

— Non !

— Mais, j'aurais dû lui échapper les trois pour qu'il les reçoive sur la tête justement.

— Oh… tu es donc bien sadique, Anne-Marie.

— Oh non ! Tu vas voir. Quand il est monté pour me donner la toile, je débarrais ma porte et il m'a offert de me les installer. Comme je savais qu'il était un bon voisin et que sa douce Annick n'aurait pas eu d'objection et qu'en plus elle était pour moi une bonne copine, j'ai accepté.

— Que t'a-t-il fait, ce Laurent-là, ma douce Anne-Marie ?

— Quand je suis venue pour lui donner les vis et le tournevis, cet effronté-là, pour ne pas dire ce cochon-là, m'a pris un sein.

— Pas vrai ? Mais c'était peut-être accidentel ?

— C'est ce que j'ai pensé quand il s'est excusé.

— Ce n'est pas si grave que cela, ma belle.

— Attends, je n'ai pas fini mon histoire… Quand il a posé la toile de la salle de bain, je tenais encore ce fichu tournevis, eh bien…

— Quoi ?

— Quand il a fini et qu'il s'est retrouvé devant moi, je n'ai pas eu le temps de retourner dans la cuisine qu'il m'agrippait par mon chandail… Et de l'autre, il me tapotait les fesses en essayant de m'embrasser.

— Oh !

— J'ai été assez insultée que je lui aie foutu une claque en pleine face. J'ai frappé assez fort que l'empreinte de mes doigts est restée imprégnée sur son visage.

— Voyons donc ! Excuse-moi, mais c'est parce que je t'imagine mal en train de le frapper.

— Il l'avait mérité. Laisse-moi te dire que je ne lui ai pas demandé de poser la toile de ma chambre !

— Eh bien ! Est-ce qu'il a essayé de te revoir après ?

— Bien non ! Annick l'a mis à la porte !

— Ah oui !

— Qu'est-ce que tu penses qu'elle a fait quand Laurent est arrivé chez lui avec l'empreinte de ma main à la figure ?

— J'imagine qu'elle est allée te voir parce qu'il lui avait sûrement conté des mensonges pour essayer de te faire passer pour la coupable ?

— Oui, elle a tellement pleuré cette pauvre Annick quand je lui ai raconté ma version !

— Sûrement ! Donc, c'est lui qui a déménagé et Annick a gardé le logement ?

— Oui, aujourd'hui on s'écrit encore, car nous avons toujours gardé le contact. Il faudrait bien que j'aille la visiter un jour. J'avais juré en déménageant que je ne remettrais plus jamais les pieds dans ce coin pourri. Mais je commence à penser qu'une simple correspondance avec Annick, ce n'est pas suffisant. Parfois, je m'ennuie d'elle. Ses enfants, Mireille, Jacinthe et Constant doivent avoir bien grandi aujourd'hui.

— Elle a trois enfants ?

— Oui, quand j'ai déménagé à Contrecœur, Mireille avait onze ans, Jacinthe en avait dix et Constant avait huit ans, il était beau.

— À quel âge les a-t-elle eus ?

— Hum, Annick est du même âge que moi, trente-deux ans, cela veut dire que quand Mireille est née, elle n'avait que dix-sept ans. Pauvre fille, tout comme moi, elle n'a pas vu passer sa jeunesse.

— Oui, une jeunesse perdue… Tu n'as sûrement pas eu beaucoup d'amis non plus ? Es-tu déjà allée au cinéma ou bien patiner au Colisée de Trois-Rivières le samedi soir ?

— Tu rêves ! Le seul cinéma que j'ai pu regarder ou écouté dans ma jeunesse furent les chicanes entre mon père et ma mère. La seule patinoire sur laquelle j'ai patiné avec mes fichus patins à deux lames est celle que j'avais faite moi-même sur le bord du chenal qui passait à l'arrière de la maison. En plus, il n'y avait presque plus d'eau dedans. Pour pouvoir patiner, je charriais l'eau à la chaudière. Elle avait environ dix pieds de long, tu comprends bien que quand j'avais fait cinq enjambées, j'étais déjà rendue au bout !

— Vas-tu m'aider à en faire une cet hiver ?

— Certainement ! À quel endroit ?

— À l'arrière de ma maison, à la place du jardin. On ira patiner main dans la main sous un beau clair de lune.

— Si l'hiver nous donne assez de neige, on pourra faire une glissade entre les deux sapins bleus.

— Bien oui, on va s'acheter une traîne sauvage ?

— Tu sais, j'aimerais beaucoup que tu viennes avec moi à Trois-Rivières... Je pourrais te présenter Annick ?

— Cela va me faire plaisir !

— Tu es un amour ! Avec toi, je vais être plus rassurée.

— C'est une promesse que je te fais, ma belle. Je vais faire livrer mes meubles et m'installer puis avant que je recommence à enseigner au mois d'août, on va y aller voir ton amie.

— J'ai hâte, elle va être surprise ! Mais les enfants, est-ce qu'ils vont me reconnaître ?

— C'est sûr ! Un joli petit minois comme le tien, ça ne s'oublie pas ! Colle-toi sur moi encore un peu avant qu'on reprenne la route ma belle. J'ai tellement besoin de toi !

Chapitre 7

TROIS-RIVIÈRES

SAMEDI SEIZE AOÛT, MADAME BÉLANGER de la bibliothèque de Tracy venait de convoquer Anne-Marie pour lui
offrir un horaire de travail beaucoup plus convenable. Elle
avait accepté sur-le-champ. Dès le début du mois de septembre, elle accompagnerait les visiteurs dans leurs choix
littéraires du lundi au vendredi.

Au presbytère Sainte-Trinité, le curé Forcier et l'abbé
Charland furent bien attristés de recevoir cette nouvelle.

— Et vous commenceriez quand à la bibliothèque, mademoiselle Sirois ?

— Ce serait pour le début de septembre. Cela vous donnerait le temps de vous trouver une nouvelle cuisinière…

— Mais vous savez qu'essayer de trouver un ange comme
vous, ce sera un travail bien ardu ?

— Père Forcier… je suis désolée et j'ai beaucoup de peine,
j'étais bien ici avec vous et l'abbé Charland. Je suis heureuse
d'avoir ce poste et c'est certain que vous allez me manquer.
Je voudrais bien travailler aux deux endroits, mais c'est impossible.

— Ne vous sentez pas coupable, mademoiselle Sirois.
Comprenez bien que je suis vraiment heureux pour vous,

même si je vais m'ennuyer de votre tourtière et de vos bonnes roulettes dans le sirop d'érable.

— Oh ! Je vais venir vous en porter quand je vais en faire.

— Vous êtes trop bonne, ma fille. Je vous le dis, quand vous avez commencé à travailler ici, il y a trois ans, c'était comme si Dieu m'avait envoyé un sauveur.

— Monsieur le curé…

— À propos, votre ami le professeur a l'air bien sympathique ? Vous vous voyez souvent ?

— Je suis en amour mon père.

— Eh bien ! Est-ce qu'on va bientôt publier les bans à notre église ?

— Donnez-moi une chance ! Ça fait seulement trois mois qu'on sort ensemble !

— Vous constaterez mon enfant que le temps passe vite, peut-être qu'au printemps vous allez vous retrouver tous les deux au pied de mon autel !

— Ouf ! En tout cas, je n'aurais jamais pensé qu'un jour moi, Anne-Marie Sirois, je serais en amour !

— Il ne faut jamais dire jamais mon enfant. Vous savez, quand j'étais petit lorsque je demeurais en Estrie…

— Vous êtes né en Estrie ?

— Oui, je suis né à Val-Racine au pied du Mont Mégantic. Mais quand je suis né, en 1912, ça portait le nom de Saint-Léon de Marston et c'est devenu Val-Racine en 1957 et je peux vous assurer que Val-Racine, c'est aussi beau sinon plus que Contrecoeur.

— Ah oui !

— Si un jour vous allez faire un tour en Estrie, mademoiselle Sirois, ne revenez jamais sans avoir visité le sanctuaire de Saint-Joseph de la Montagne. C'est de toute beauté !

— J'imagine ! Et que désiriez-vous quand vous étiez enfant ?

— Oh ! Quand je restais à Val-Racine, je disais à mes parents, que Dieu ait leur âme, que j'aurais un ranch lorsque je serais grand.

— Vous aimez les chevaux ?

— Les chevaux, c'est ma passion ! Regardez... j'ai un livre rempli de photos de chevaux que j'avais découpées un peu partout dans des magazines. Je devais avoir cinq ans quand j'ai commencé à collectionner les photos de chevaux.

— Vous aviez des chevaux chez vous, père Forcier ?

— Oui, mon père en avait quatre et je me souviens même de leurs noms ! Il y avait deux beaux gros chevaux canadiens, Lucky et Pedro, qui avaient deux caractères bien doux et qu'on pouvait monter mon frère et moi sans que mes parents soient inquiets.

— Quel âge a votre frère ?

— Ange Albert, il doit avoir cinquante-huit ans si je ne me trompe pas. J'ai aussi une sœur, Angéline, qui a soixante-cinq ans.

— Ils restent tous les deux à Val-Racine ?

— Non ! Ange Albert reste à Arvida et Angéline à Rimouski.

— Sainte mère ! Vous ne les voyez pas souvent ?

— Environ aux cinq ans. Cet hiver, ils vont venir fêter Noël ici au presbytère. Bon... Ah oui, en plus de Lucky et

Pédro, il y avait une jument du nom de Capricieuse et un gros cheval de labour que j'avais appelé Robustin.

— Et vous n'avez jamais eu l'occasion après d'avoir un cheval juste pour vous ?

— Non à l'âge de dix-huit ans, je suis parti faire mon cours de théologie à Montréal et après j'ai été ordonné prêtre.

— Et vous avez été prêtre où avant Contrecœur ?

— Je me suis dévoué pour la paroisse Précieux Sang de Notre Seigneur Jésus Christ à Saint-Hyacinthe pendant vingt-cinq ans.

— Tout un parcours de vie cela, mon père ! J'espère que vous allez toujours rester avec nous autres ?

— C'est mon désir, mademoiselle, mais Dieu seul le sait !

Une semaine s'était écoulée et quatre candidates s'étaient présentées au presbytère de Sainte-Trinité pour le poste de cuisinière : madame Pauline, madame Carignan la femme du bedeau et une dame dénommée Olivine Nadeau, sans oublier une gentille jeune fille d'environ vingt-cinq ans, Rachèle Marion. Le curé Forcier leur avait demandé de cuisiner une tourtière et une recette de sucre à la crème. La tourtière au goût d'antan fut mitonnée par madame Pauline et le meilleur sucre à la crème, à sa grande surprise, fut celui de mademoiselle Marion. Quant à madame Carignan, il n'avait pas donné suite à sa demande compte tenu de la besogne qui la retenait à la maison avec son bedeau et ses cinq enfants. Et madame Nadeau, étant donné son âge avancé, n'aurait sans doute pas été assez vaillante.

— Regardez, madame Tessier, vous allez travailler le lundi matin, le mercredi matin et le vendredi jusqu'à deux heures.

— Oui… mais comment allez-vous faire pour le mardi et le jeudi ?

— Pour le mardi et le jeudi, ce sera mademoiselle Marion.

— Bien là, j'aurais pu vous les faire ces journées-là, moi !

— Bien non, je ne voudrais pas abuser de votre bonté.

— Vous savez ,monsieur le curé, l'ouvrage ne me fait pas peur, je suis habituée de me relever les manches quand il le faut !

— Je n'en doute pas, madame Tessier ! Mademoiselle Sirois travaillait trois matinées par semaine. Pour mademoiselle Marion, c'est un essai que je fais. En passant, quand vous allez travailler ici, madame Tessier, je vous demanderais de garder…

— Mon Dieu, monsieur le curé, me prenez-vous pour une commère ?

— Ce n'est pas cela que j'ai dit, madame Tessier. Je veux simplement un peu de discrétion de votre part. Mademoiselle Sirois était une employée exemplaire et j'attends la même chose de vous en retour.

— Je n'ai pas de problème avec ça, moi ! En parlant de la belle Anne-Marie, elle est en amour par-dessus la tête avec son professeur ? Quand elle n'est pas chez lui, c'est lui qui est toujours chez elle !

— Chut, madame Tessier, on ne s'étendra pas sur ce sujet-là ! Vous voulez bien !

— Vous avez bien raison, mais je peux juste vous dire que la manière dont ils sont partis ces deux-là, y va y avoir un mariage bientôt dans la paroisse, c'est moi qui vous le dis !
— Madame Tessier !

Sur le pont Laviolette, le brouillard persistait encore et Anne-Marie se sentait très fébrile mais en même temps heureuse de retourner dans son patelin. Sur la rue des Forges, tout était demeuré intact, à part quelques nouveaux établissements ayant remplacé les anciens commerces et de vieux duplex rénovés et parés de nouvelles teintes à la mode.

Charles caressait calmement la main d'Anne-Marie comme pour la rassurer que rien ne pourrait ternir cette belle journée tant attendue.

— Anne-Marie ! Je suis tellement contente de te revoir ! Entrez, je présume que vous êtes Charles ?
— On ne peut rien vous cacher !

Rien n'avait changé chez Annick. Par contre, son habitat reflétait une joie de vivre qui avant n'existait pas. Annick était, disons-le, une femme à bibelots. Compte tenu de la collection de grenouilles et d'éléphants, dépoussiérer le grand bahut chocolat devait bien demander une bonne demi-journée de travail. Pas une surface du mur ne se sentait négligée. Des photographies, il y en avait partout, et Anne-Marie fut ravie de voir que son amie possédait encore la photo prise en compagnie de Mireille, Jacinthe et Constant lors de leur visite à Terre des Hommes en 1967.

— Je suis bien heureuse de te voir ici Anne-Marie, tu ne peux pas savoir comment ! Assoyez-vous, je vais vous faire un bon café au percolateur.

— Tu es toujours aussi belle Annick, tu as coupé tes grands cheveux, ça fait longtemps ?

— Bien non… la semaine passée !

— Mais pourquoi ?

— Un coup de tête… mais je savais aussi que Louis aimait les cheveux longs, mais pas trop, alors je lui ai fait plaisir en même temps que je me suis fait plaisir.

— Louis ? Tu ne m'avais pas écrit cela dans ta dernière lettre au mois de juin ?

— Je n'aurais pas pu, je l'ai rencontré au début du mois de juillet !

— Je suis contente pour toi, où est-il caché ce Louis ?

— J'ai bien peur que tu ne le rencontres pas aujourd'hui, il est camionneur et il voyage aux États-Unis. Je le vois à peu près quatre fois par mois.

— Tu dois t'ennuyer ?

— Pas vraiment, tu oublies que j'ai mes trois ados ! Je suis occupée à temps plein, crois-moi !

— Où est-ce qu'ils sont les enfants ?

— Constant est parti chez son cousin sur la rue Saint-Olivier, Mireille garde toute la journée chez madame Blondin et Jacinthe est en colonie de vacances au Cap-de-la-Madeleine pour deux semaines.

— Au moins, je vais voir le beau Constant ?

— Oui, il devrait être ici à onze heures et demie pour dîner.

— Penses-tu qu'il va se souvenir de moi, le beau jeune homme ?

— C'est certain ! Quand je lui ai dit que tu venais nous voir, il a sauté de joie ! La photo que tu vois sur le mur, il l'avait décrochée pour la mettre sur sa table de chevet pendant toute une semaine !

— Cré petit cœur, j'ai hâte de le voir.

— Tu vas aussi voir Mireille au souper. Tu sais qu'elle t'appelle encore ma tante quand on parle de toi ?

— Voyons donc, toi !

— Bon ! Une petite larme Anne-Marie ?

Annick regarda Charles avec un petit sourire.

— Anne-Marie m'a dit que vous commencez un nouveau travail en septembre ?

— Bien oui, je vais enseigner à l'école primaire, Mère-Marie-Rose à Contrecœur.

— Vous enseignez quelle année exactement ?

— Aux élèves de troisième année. Peux-tu m'appeler Charles, Annick ?

— Charles, je vais être bien plus à l'aise, je n'osais pas te le proposer.

— Pour le souper Annick, on ne pourra pas rester, mais merci pour l'invitation. J'amène Anne-Marie à Louiseville pour lui montrer la terre de mes parents et en même temps pour qu'elle voit où je suis né. Mais je te promets qu'on va revenir avant les fêtes !

— Est-ce vrai ça Anne-Marie ?

— Si Charles te le dit, c'est que c'est vrai, mon amour a juste une parole.

— *Yes!* Vous... désolée, tes parents demeurent à Louise-ville ?

— Ils demeuraient, ils sont morts tous les deux. Les personnes qui ont acheté la terre, les Taillefer, m'ont fait promettre d'aller leur rendre visite quand je passerais dans leur coin.

— D'accord, mais Anne-Marie ?

— Oui ?

— Si tu tiens ta promesse de venir me voir avant les fêtes, moi je te promets d'aller te voir pendant le temps des fêtes avec Louis et les enfants.

— Pas vrai ! Oh... tu me ferais tellement plaisir ! Tu vas être enchantée de voir Contrecœur ! C'est vraiment un très beau coin !

— De plus, Annick, je vous offre l'hospitalité dans ma maison pendant votre séjour. Car chez Anne- Marie, il n'y a qu'une seule chambre. On pourrait faire dormir les enfants dans mon bureau, je vais leur installer un grand lit et il y a aussi le divan du salon.

— Quelle bonne idée ! Je pense même, sans vouloir abuser de ton hospitalité, que je vais aussi t'envoyer Louis, comme çà je pourrai dormir toute seule avec Anne-Marie et placo-ter toute la nuit.

Le dîner fut excellent et la soirée se passa à échanger des souvenirs, certains drôles, d'autres un peu plus nostalgiques. Du haut de ses sept ans, Constant, avec un regard admiratif, avait même avoué à Anne-Marie qu'il rêvait de se marier avec elle, ce qui lui fit fondre le cœur.

Annick possédait de belles qualités. Elle créait ses propres gabarits de couture pour confectionner de très beaux vêtements d'un style exclusif pour ses enfants. Et quand elle était lasse de son fil et de ses aiguilles, elle s'évadait dans la peinture à l'huile, et de là, naissaient de jolis tableaux dépeignant d'élégantes scènes hivernales. Charles fut satisfait et ravi de cette belle rencontre amicale. Avant de quitter, il avait avoué à Annick qu'il était heureux d'avoir une nouvelle amie dans sa vie.

Chapitre 8

LOUISEVILLE

ALINE ET NORMAND TAILLEFER FURENT TRÈS HEUREUX d'accueillir Charles et Anne-Marie. Ils ne s'étaient pas revus depuis la vente de la maison de ses parents. Le couple de sexagénaires avait effectué de grands changements sur la ferme. Ils avaient entre autres, créé de toutes pièces un élevage porcin et aménagé une grande fraisière, achalandée tout le mois de juillet par les cueilleurs de fraises. À la grande satisfaction de Charles, l'intérieur de la maison était demeuré intact.

— Nous sommes très fiers de te montrer ce que nous avons fait avec la terre de tes parents, Charles !

— Vous avez raison d'être fier, monsieur Taillefer ! Par contre, ça vous donne beaucoup de travail avec la fraisière et les porcs. Avez-vous au moins une journée de congé par semaine ?

— Oh oui, mon garçon ! Tu comprends bien qu'à notre âge, on ne peut plus travailler sept jours sur sept ! Ça nous a pris bien du temps pour nous trouver un homme fiable pour travailler ici les week-ends, mais le bon Dieu nous a envoyé l'homme parfait ! Il s'appelle Edward et c'est un maudit bon travaillant. Le samedi matin, il est ici avant que les poules se lèvent !

— Je suis vraiment content pour vous, car pour posséder une ferme et un grand champ de culture comme les vôtres, il faut vraiment avoir une santé de fer et surtout être muni de bons bras !

— Mets-en, mon gars ! Ici, on est habitué au gros ouvrage !

— Est-ce que vous aimeriez mieux prendre une limonade au lieu d'une bière, mademoiselle Sirois ?

— Avec grand plaisir, madame. Je ne peux pas refuser, il fait tellement chaud ici !

— Tu trouves, mon cœur ?

— Bien oui Charles, tu n'as pas chaud, toi ?

— En effet, il fait un peu chaud, mais je trouve cela bien supportable, moi.

— Ah bien… C'est peut-être moi qui suis dans les patates ! Vous avez un métier à piquer, madame Taillefer ?

— Bien oui, ma fille. Imaginez-vous donc qu'en plus de tout l'ouvrage qu'il y a à faire ici, je trouve le temps de piquer des courtepointes !

— Ah oui ! C'est tellement beau cette couverture-là !

— Venez, je vais vous montrer, j'en ai une sur mon lit…

Dans la chambre principale de style champêtre, le lit était recouvert d'une somptueuse courtepointe piquée de jolies marquises aux vêtements lilas, coiffées de grands chapeaux rose cendré et arborant chacune une ombrelle de satin bleu. Et les taies d'oreillers étaient ornées d'une abeille butinant le cœur d'une rose épanouie. Anne-Marie fut émerveillée par ce travail exécuté avec autant d'adresse que de précision.

Entre les deux chambres, dans le grand couloir, elle s'arrêta pour admirer le vaste salon digne de faire la une de *Décor Mag*. Un lustre de cristal gigantesque était suspendu au-dessus d'une grande table de style rustique, incrustée de reliefs en cœur de noyer, et de deux causeuses antiques de bois sculpté, posées sur un tapis de laine rouge et or.

— Voyons ma douce, tu es donc bien blême ! Ça va ?

— Oui, j'ai eu un petit vertige.

— La pauvre petite, quand on est entré dans la deuxième chambre, elle a été obligée de s'asseoir tellement elle était étourdie !

— Tu as peut-être attrapé un virus, ma belle ?

— Peut-être. Les chambres sont de toute beauté, Charles ! Je n'avais jamais vu une si belle courtepointe. Madame Taillefer a des doigts de fée !

— Ces doigts-là, je les ai hérités de ma grand-mère Albertine.

— Et tu devrais voir le beau rouet et le berceau qu'il y a dans la petite chambre !

— Mon lit capitaine n'est plus là, madame Taillefer ?

— Non Charles, par contre si tu veux revoir ton berceau, quand nous avons déménagé, nous l'avons sorti du grenier pour le décaper. Et je peux t'avouer que ça nous a pris beaucoup de temps pour lui redonner son aspect naturel !

— Ah oui ! Pourtant, il était tout petit mon berceau !

— Mais, il nous a pris bien des heures ce berceau-là mon garçon ! Il était bleu et en dessous y avait une couche de peinture rose.

— Probablement qu'ils l'avaient acheté pour Marie- Anne et qu'après ils l'ont peinturé en bleu pour moi.

— Marie-Anne ?

— Oui, Madame Taillefer, avant moi, il y a eu une petite fille que malheureusement je n'ai pas eu la chance de connaître, car elle a été mise en adoption deux jours après sa naissance.

— Voyons donc, toi ! Comment ça ?

— Ouf ! Ce serait une longue histoire à vous raconter. Tout ce que je sais, c'est qu'elle demeurerait à Saint-Lambert et qu'un jour, si Dieu le veut, je vais la retrouver et lui remettre le message que ma mère m'a laissé pour elle.

— Pauvre petite… Donc, elle a vécu ici, dans cette maison, seulement deux jours.

— Madame Taillefer, est-ce que ce beau rouet en noyer foncé fonctionne encore pour filer la laine ?

— Oh non ! Il est dans le coin de la chambre seulement comme parure. Si je filais la laine en plus de mes courtepointes, je pense qu'il faudrait engager un autre homme à tout faire ! Pour les tuques puis les mitaines, Croteau se fend le derrière pour en vendre !

— Oh ! vous avez bien raison madame Taillefer. Et les belles McIntosh que je vois dans le pommier au coin de votre écurie, je suppose que c'est ça qui sent bon de même dans la maison ?

— Ouin, vous avez le nez fin, vous ! Avant que vous arriviez, j'avais enfourné deux tartes aux pommes. Vous allez nous faire le plaisir de rester à souper avec nous autres ? J'ai un bon rôti de palette dans le fourneau aussi.

— Ouf ! Vous voulez nous prendre par l'estomac, vous là.

— Moi puis Anne-Marie, on voulait prendre le bateau de quatre heures. Qu'est-ce que tu en penses, mon cœur ?

— Ne vous faites pas prier les jeunes, vous allez voir que quand mon Aline fait à manger, c'est mauditement bon !

— Je n'en doute pas, monsieur Taillefer. Hum… c'est vrai que ça sent bon. Hein, Charles ?

Le délicieux souper terminé, ils firent une courte promenade en sirotant un thé brûlant. Charles était devenu bien nostalgique en apercevant la vieille balançoire verte où Madeleine profitait de ses seuls moments de loisir. Sur le côté droit qui était toujours le sien, il la voyait avec son gros bol de haricots ou bien en train d'écosser ses petits pois. Même au repos, elle se trouvait toujours une petite besogne, si minime fût-elle.

Le lilas près du gros puits avait doublé de taille. La rhubarbe avait envahi la vieille faucheuse qui rouillait lentement depuis l'accident de Delphis Jolicoeur. C'est avec tristesse qu'Aline laissa partir ses invités. Elle s'était éprise d'un amour maternel à l'égard d'Anne-Marie et lui avait avoué que, si elle avait pu avoir des enfants, elle aurait souhaité avoir une fille comme elle.

Entre chien et loup, à la traverse Saint-Ignace-de-Loyola, on pouvait distinguer au large *La Catherine* glissant sur le fleuve Saint-Laurent. Et dans la Plymouth, en attendant son arrivée, le couple heureux s'étreignait tendrement, alors que cette belle balade s'estompait doucement pour prendre place dans leur boîte à souvenirs.

Chapitre 9

SOLANGE

À L'ÉCOLE PRIMAIRE MÈRE-MARIE-ROSE de Contrecœur, une ribambelle d'enfants s'adonnait à une partie de ballon-chasseur pendant que d'autres, moins sportifs, rassemblés au pied du vieil érable, jouant aux billes, se racontaient leurs vacances estivales.

Fébrile et excité à la fois à l'idée de rencontrer ses nouveaux étudiants, Charles était arrivé un peu plus tôt pour se familiariser avec sa nouvelle école.

Sœur Marie de la Sagesse l'avait accueilli jovialement en l'invitant dans la grande salle pour lui présenter les autres enseignants.

L'école de la rue Chabot, outre la maternelle, disposait de treize classes de la première à la sixième année. Cette année, il n'y avait que deux nouveaux professeurs : Charles qui enseignerait aux élèves de troisième année et Doris Labonté qui ferait de son mieux pour initier les enfants à l'éducation physique. Il y avait aussi le concierge, Adélard Ruelle, un drôle de bonhomme, à l'allure nonchalante et au dos courbé, qui semblait, selon Charles, plutôt prédisposé au repos. À la procure, madame Brigitte, du haut de ses cinq pieds, se ferait un plaisir de distribuer les livres et les outils nécessaires aux élèves.

Au son de la voix du directeur, les étudiants s'étaient vite entassés à la queue leu leu aux abords du grand perron bétonné pour enfin découvrir leurs nouveaux titulaires pour l'année 74-75. À la fin de l'appel des élèves, Charles se retrouva devant ses vingt-six étudiants : dix-huit garçons et huit filles.

À la bibliothèque de Tracy, Anne-Marie commençait son nouveau travail. Celui-ci s'annonçait, bien différent de ce qu'elle pouvait vivre tous les samedis matin. En plus d'orienter les gens dans leurs lectures, elle devait aussi effectuer l'entretien et la classification des livres. De plus, les professeurs la solliciteraient souvent pour des recherches qu'ils n'auraient pas le temps de faire, prétextant leurs horaires chargés. Elle devrait aussi assister les étudiants, ayant réservé une heure ou deux sur leurs heures de classe, dans leurs travaux scolaires.

— Allo mon cœur ! Comment s'est passée ta journée à la biblio ?

— Ouf ! Avec tout ce qu'il y a à faire là, je peux te dire que le samedi matin, c'était une partie de plaisir !

— Comment ça ?

— Avec Solange, je vais alterner. Le lundi, je vais être au comptoir pour les réservations, le mardi au classement et en salle de lecture avec les gens qui auront réservé. Je vais classer les livres, faire l'entretien. Bla-bla-bla...

— Tu es drôle, ma chérie.

— Mais je suis bien contente, les journées vont passer sans que je puisse m'en apercevoir. Et ta journée avec tes petits bouts de chou, elle s'est bien passée ?

— Très très bien, madame ! Je vais t'aider, je vais couper les tomates et laver la salade ?

— Non ! Je vais avoir besoin de toi pour faire cuire le poulet sur le charcoal tantôt...

— Ça va me faire plaisir, ma belle. Demain soir, c'est moi qui vais te faire à souper chez moi...

— Hum ! Que me feras-tu de bon ?

— Qu'est-ce que je vais te faire ? Eh bien, je ne sais pas encore. Je pourrais te prendre dans mes bras, manger tes petites oreilles, te faire l'amour comme un malade. Après, je te ferais à souper.

— Hum... c'est un beau menu ça ! Et si on prenait l'apéritif aujourd'hui ?

— C'est tentant ça...

— Tu me chatouilles Charles... mais... ne t'arrête pas...

Sans attendre, il souleva Anne-Marie et la déposa sur le comptoir sans se préoccuper des tomates qui roulaient sur le sol et il la pénétra délicieusement au plus profond d'elle-même. Elle s'agrippa à lui et par un mouvement de va-et-vient, une jouissance indicible les propulsa dans un néant paradisiaque. Ce qui suivit fut très doux. Avant qu'elle ne puisse souffler un mot, il se mit à l'embrasser légèrement en lui tenant la tête entre ses mains, comme s'il ne voulait plus jamais s'arrêter. Alors, elle laissa ses mains chuter sur ses reins pour le serrer très fort contre son corps encore vacillant.

L'automne avait soudain fait place aux premiers flocons blancs qui timidement commençaient à s'installer sur les terres à peine refroidies. Les aiguilles des conifères s'étaient raidies pour se protéger des vents froids et les chênes corpulents laissaient choir leurs derniers fruits, immédiatement récoltés par les écureuils. Les rivières s'étaient figées sous leur toiture de galce, alors que les jardins, n'avaient d'autre choix que de s'endormir en espérant le retour d'un nouveau printemps.

Dans le rang du Ruisseau, tout constellé de cristaux blancs, une vie heureuse semblait s'écouler dans les foyers, sauf chez les Robidoux. Jean-Claude essayait de recoller les pots cassés pendant que Solange ne l'écoutait même plus. Ce n'était jamais l'homme le coupable dans l'adultère. Il implorait sa pitié suite à un moment de faiblesse qu'il avait eu avec une fille du nom de Josée Lambert qui, selon lui, l'aurait forcé à se retrouver dans le lit du péché. Ce n'était nullement de sa faute. Solange lui avait ordonné de quitter le nid, mais depuis une semaine, il n'avait fait aucun effort pour se trouver un nouveau logement. Un jour, en terminant sa journée de travail à la Dosco, il avait récupéré sa valise durcie par le froid sur le perron de cette maison qui ne serait plus jamais la sienne. Solange avait eu le cœur déchiré pendant une semaine, mais aujourd'hui elle se sentait libérée d'une vie où elle n'existait que pour servir monsieur et l'aider à assouvir ses pulsions sexuelles.

Elle s'était promise que plus jamais Jean-Claude Robidoux ne remettrait les pieds dans la maison familiale.

— Pauvre de toi! La maison doit être grande sans Jean-Claude, ma vieille!

— Ne t'inquiète pas pour moi. La maison est plus grande, oui, mais je respire et je fais mon petit train-train à mon rythme. Pourquoi faut-il dîner à midi et souper à cinq heures ? Veux-tu bien me dire qui avait décidé ça, toi ?

— C'est toi, ma vieille. Tu étais tellement plongée dans cette routine-là que tu ne voyais rien d'autre.

— Tu crois ?

— Je ne le crois pas, j'en suis certaine. Tu sais, rester avec un homme ne signifie pas que tu es obligée de le servir comme un roi et de toujours être dans la maison à côté de lui juste parce qu'il est là ! Dans mon livre à moi, j'appelle ça de la dépendance affective. Et malheureusement, tu étais trempée dedans jusqu'au cou.

— Ouin ! C'est certain que je vais en arracher plus avec mon petit salaire de crève-faim, mais comme on dit : « Vaut mieux manger un pain debout que manger un steak à genou. »

— Exactement, ma vieille ! Puis regarde pour ton Jean-Claude, on dit : « Quand un homme a une femme, il a toutes les femmes, mais quand un homme a toutes les femmes, il n'a plus de femme. » C'est ce qui lui est arrivé.

— Eh oui ! Combien de temps penses-tu que cela faisait qu'il me trompait, celui-là ?

— Y a juste le petit Jésus qui est courant Solange, et il n'est pas obligé de tout te raconter. Moi, je pense que c'est beaucoup mieux comme cela. Cela évite d'autres peines.

— Tu as raison d'un côté, ce qu'on ne sait pas ne fait pas mal. Est-ce que Charles soupe avec toi ce soir ?

— Je ne pense pas, il m'a dit qu'il resterait à son école pour s'avancer dans ses cours. D'après moi, il va rentrer directement chez lui après. Pourquoi ?

— J'avais pensé que tu pourrais venir grignoter quelque chose avec moi. Je n'ai rien de cuisiné, mais on pourrait se faire des crêpes ou de bonnes galettes de sarrasin avec de la mélasse.

— Je suis d'accord pour les crêpes, mais la galette de sarrasin j'ai mis ça de côté pour le reste de ma vie !

— Seigneur de Dieu ! C'est bon de la galette de sarrasin !

— Je le sais que c'est bon, mais c'est un mot qui n'existe plus dans mon vocabulaire. Je l'ai trop entendu dans ma jeunesse.

— Ah ! Aimerais-tu m'en parler ?

— Quand je restais à Trois-Rivières et quand mon père me voyait pleurer, en plus de me traiter de vieille laide, il riait en me disant que j'avais la face comme une galette de sarrasin.

— Oh… Voyons donc, tu sais bien que ton Jean-Paul de père parlait à travers son chapeau et qu'en plus, son chapeau était plein de trous !

— Oui, je sais ! Mais, jamais je ne remangerai de la maudite galette ! As-tu de la bonne confiture aux fraises pour manger avec les crêpes ?

— Bien oui, j'ai aussi du bon sirop d'érable de la cabane à sucre Léveillée. En plus, je vais te garder pour veiller avec moi, nous écouterons *Quelle famille !* puis *La Petite Patrie* ensemble.

Dans la soirée, vers sept heures et quart, sur le seuil de la porte, un homme complètement abattu implorait le pardon et demandait à réintégrer la maison familiale. C'est à la suite du refus de sa femme qu'il s'était emporté et qu'il l'avait giflée en pleine figure avec une telle violence qu'elle en fut jetée aux pieds de son amie complètement affolée.

— Serais-tu devenu fou Jean-Claude Robidoux? Viens Solange! Jean-Claude Robidoux retourne d'où tu viens. Puis si j'entends dire que tu as mis juste ton gros orteil sur le bout du perron, tu vas devoir t'expliquer avec la police!

— Ne pogne pas les nerfs, la catin! C'est à ma femme que je veux parler. Mêle-toi de tes affaires.

— Je ne veux plus te parler, Jean-Claude. Sors d'ici. Je ne veux plus revoir ta face d'hypocrite! Va rejoindre ta Josée, va rejoindre ta guidoune!

— Je t'aime Solange, je regrette, je…

— Va-t'en! Sacre ton camp d'ici!

Jean-Claude était ivre et une odeur d'alcool persistante flottait encore dans la pièce quand les policiers arrivèrent. Après l'avoir fait asseoir à l'arrière de l'auto-patrouille, le sergent Picard avait demandé à Solange si elle voulait porter plainte contre son mari, mais celle-ci avait refusé.

— Pourquoi as-tu refusé? Il doit rire dans sa barbe, à l'heure qu'il est. Il va juste avoir à recommencer! Sainte mère!

— Regarde Anne-Marie, il était saoul, s'il récidive, je vais agir.

— Ben voyons, qu'est-ce que tu penses qu'il va te faire la prochaine fois?

— Il ne reviendra pas.

— Je l'espère pour toi! Si tu avais été toute seule ce soir, il t'aurait peut-être battue!

— Bien non, Jean-Claude n'est pas si violent que ça, il avait bu.

— Est-ce que ça ira, tu trembles comme une feuille ?

— Oui, ça va aller… Ne t'inquiète pas Anne-Marie, tu peux t'en aller chez toi. Je vais dormir sur mes deux oreilles et demain tout va être revenu à la normale.

Le lendemain matin à neuf heures, Solange ne s'était pas présentée à la bibliothèque. À trois heures du matin, son mari avait récidivé et celle-ci s'était retrouvée sur une civière, à l'hôpital Hôtel-Dieu de Sorel avec un bras cassé et le visage tuméfié.

À la fin de son quart de travail, Anne-Marie s'était immédiatement rendue à l'hôpital où elle avait trouvé son amie complètement anéantie. Son œil gauche était complètement fermé et son arcade sourcilière était recousue de trois points de suture.

Anne-Marie n'avait pu retenir ses larmes et au fond de son être, une rage incontrôlable lui était remonté à la gorge.

— Pourquoi ne m'as-tu pas appelée ?

— Il était trois heures du matin, Anne-Marie. J'ai été capable de conduire mon auto jusqu'ici. Comme tu le vois, c'est le bras gauche qui est foutu.

— Tu as beaucoup mal ?

— Oui, j'ai mal dans mon cœur. Anne-Marie, je voulais lui donner une chance en ne portant pas plainte, et il n'a pas compris.

— Et là, tu as déposé une plainte ?

— Bien...

— Tu ne l'as pas fait ? Solange, attends-tu qu'il te tue ?

— Voyons, il n'est pas si sadique que ça !

— Bien non ! Est-ce que tu veux que je t'apporte un miroir pour que tu voies le résultat de ses actes ?

— Ce n'est pas la peine ! J'ai assez d'avoir mal, je ne veux pas voir en plus le tort qu'il m'a fait au visage.

— Pauvre toi !

— Ne pleure pas Anne-Marie, je vais m'en remettre et, de toute façon, il doit se sentir bien sans-cœur de m'avoir battue et je suis certaine qu'il ne recommencera plus.

— J'aimerais bien te croire, mais je ne peux pas. Sainte mère !

Chapitre 10

L'ABBÉ CHARLAND

23 décembre

LES GRANDS FROIDS S'ÉTAIENT INSTALLÉS et la neige crissait sous les pas.

Ils avaient tenu promesse. Au mois de novembre, Anne-Marie et Charles étaient retournés visiter Annick à Trois-Rivières, et ce soir ils accueillaient les Dion. Il était bon de se retrouver tout près du vieux poêle bedonnant à déguster un chocolat chaud.

Le lendemain, ils profitèrent d'une journée clémente où le soleil était au rendez-vous pour se rendre sur la Rive-Sud, sur les pentes de ski du mont Saint-Bruno. Et dès leur retour, toute la soirée les enfants insatiables avaient égratigné la patinoire à l'arrière de la maison de Charles sous un clair de lune resplendissant.

— Je n'aurais jamais pensé qu'on fêterait un jour Noël ensemble à Contrecœur, Annick !

— Tout comme moi... Puis, on est tellement bien chez toi ! C'est chaud, c'est accueillant. On dirait, quand on entre dans ta maison, qu'elle se referme sur nous pour nous envelopper dans sa chaleur.

— Oui, c'est vrai ! Coudon toi ! Ton Louis...

— Oui ?

— C'est un sacré bon bonhomme ! Quand je l'ai vu la première fois hier, il me paraissait imposant et sévère en même
temps.

— C'est un gros toutou, mon minou !

— Bien oui, il est doux comme un agneau et il t'aime sans
bon sens ! En plus, la vie l'a gâté, il est très beau.

— Oui, il est beau. Mais ce que j'aime, c'est que je me sens
toujours protégée quand je suis avec lui. En plus, ce qui est
plaisant, c'est qu'il s'est senti tout de suite à l'aise avec Charles.

— Oui ! C'est surprenant de voir un camionneur et un
professeur avoir autant d'affinités. Ils aiment tous les deux
la pêche, la motoneige. L'hiver prochain quand vous allez
revenir, on va en faire de la motoneige. On va acheter une
vieille Bertha qui n'ira pas trop vite pour que les enfants
puissent la conduire. En parlant de tes enfants Annick, ils
sont supers ! Mireille et Jacinthe sont féminines jusqu'au
bout des doigts et en plus, elles sont très jolies toutes les
deux. Et Constant… Constant, on voit qu'il est très près de
sa mère ! Cré petit cœur. Tantôt, quand il a mis la grosse ca-
talogne sur toi avant de s'en aller chez Charles, il t'a bordée
comme une enfant.

— Oui, c'est mon p'tit loup d'amour. La femme qui sera à
ses côtés plus tard va être bien choyée. Mais en parlant de
l'an prochain pour la motoneige…

— Oui ?

— C'est parce que nous ne sommes pas certains à cent
pour cent d'être ici.

— Comment ça ? Vous allez fêter Noël dans le Sud !

— Non, c'est que Louis et moi nous parlons de déménager aux États-Unis.

— Non, Annick! On vient juste de se retrouver! Pourquoi?

— Regarde, Louis travaille presque toujours aux États. Si nous habitions là-bas, bien, on serait ensemble tous les jours! On s'ennuie beaucoup depuis un bout de temps, ce n'est pas facile pour deux personnes qui s'aiment de se voir seulement trois ou quatre fois par mois.

— Je te comprends Annick, mais j'ai de la peine quand même. Ce n'est pas la porte d'à côté les États-Unis! Où habiteriez-vous?

— Si nous décidions de déménager, ce serait probablement dans le Kentucky.

— Oh la la! À quel endroit exactement?

— Probablement à Grand Rivers, Louis a de la parenté dans ce coin-là et ça l'air bien beau. Les enfants parleraient couramment l'anglais aussi, ce serait un avantage pour eux! Mais, il y a un mais! Est-ce que les enfants vont accepter de changer de pays? On va les priver de tout ce qu'ils ont à Trois-Rivières!

— Mais on dit que les enfants s'adaptent partout, et encore bien plus facilement que les parents.

— Oui peut-être, mais comme je te l'ai dit, c'est loin d'être concrétisé, Anne-Marie. Je vais te tenir au courant. Qu'allons-nous faire pour le réveillon de la sainte nuit, ma belle amie?

— C'est très simple. C'est une nuit de paix, la paix on l'a tous dans nos cœurs? On va gâter tes enfants et ce sera facile, juste à voir la montagne de cadeaux qu'il y aura en dessous du sapin. Et nous, on va être heureux juste à les voir crier pendant qu'ils déballent leurs étrennes. Et après, on servira la salade de patates, les petits sandwichs sans croûte et la grosse bûche de Noël servie avec un demiard de crème.

— Comme dans le temps, Anne-Marie !

— Oui, comme dans ton temps à toi, tu veux dire ! Le seul sapin de Noël que j'ai pu admirer dans mon temps, c'était celui que j'avais découpé dans du papier de construction rouge. Je n'ai jamais eu de Barbie ni de jeu de Lite Brite , moi ! J'avais seulement droit à un vieux bas de laine troué de mon père avec une orange, une bouteille de Seven Up et une boîte de gomme à savon.

— De la gomme à savon ?

— Tu sais la gomme violette qui goûtait le savon ?

— Oui ! En plus, on la trouvait donc bonne cette gomme-là ! Dis-moi Anne-Marie, c'est pour cela qu'aujourd'hui tu fais un sapin de Noël plus gros que ton salon peut en prendre ?

— Qu'est-ce que tu en penses ?

Mars

Le mois où le soleil semble prendre un plaisir fou à voir se fondre le tapis blanc dans les ornières. Les rivières se libèrent de leur toiture de verre et se remettent à glisser gaiement entre les glaces. Les conifères secouent leurs aiguilles comme pour se préparer à héberger les hirondelles.

Aujourd'hui, samedi, Anne-Marie était sollicitée pour travailler une journée supplémentaire à la bibliothèque et Charles avait profité de cette occasion pour faire un saut à Saint-Lambert dans le but d'acquérir des renseignements concernant sa sœur Marie-Anne.

La veille, au presbytère Sainte-Trinité, l'abbé Charland avait reçu de la parenté du côté de son défunt père. Ces invités se présentèrent dans leurs beaux habits du dimanche. Son oncle Jean-Marie, âgé de soixante-dix ans, ainsi que sa femme Rose-Aimée étaient accompagnés de leur petite-fille, Sylvianne Germain.

Cette Sylvianne n'incarnait pas la beauté, mais elle possédait un corps à faire rêver qui aurait pu faire changer de vocation n'importe quel évêque. L'abbé Charland, au service du Seigneur depuis maintenant dix ans, avait toujours remis en question son sacerdoce. Il reluquait avec envie, dès qu'il en avait l'occasion, les jeunes filles qui se présentaient dans la sainte église pour l'homélie du dimanche matin. Parfois elles pouvaient laisser entrevoir une parcelle de chair rosée, cette chair qui se gonflait à l'échancrure de leurs chemisiers, et un désir charnel s'emparait de lui malgré les consignes de sa foi.

À la fin du bon repas que madame Pauline avait mijoté durant toute la matinée, Sylvianne et l'abbé s'étaient retrouvés dans la sacristie, là où sont rangés précieusement les vases sacrés et les habits sacerdotaux.

Accompagnée d'un nuage nauséabond de tabac de piètre qualité, madame Pauline était entrée au presbytère sans y avoir été conviée.

— Voyons madame Tessier, on n'entre pas comme ça chez les gens sans frapper ! Ce n'est pas votre quart de travail à ce que je sache !

— Je viens faire la vaisselle, monsieur le curé. Vous me connaissez ! Je préfère la faire maintenant pour ne pas me retrouver avec des plats tout collés lundi matin. Et vu que demain c'est dimanche, ça ne me tentera pas de faire du ménage pendant que vous allez chanter votre messe.

— C'est comme vous voulez, mais ne vous attendez pas à un supplément de salaire, car ce n'est pas moi qui vous l'ai demandé.

— Loin de moi cette pensée, mon père ! Si je le fais, c'est juste pour m'avancer dans mon ouvrage. Puis, si je peux me le permettre, monsieur le curé…

— Permettez-vous, madame Pauline.

— C'est parce que j'ai failli me retrouver sur le cul en montant les marches du presbytère, c'est glissant en pas pour rire !

— Madame Tessier, votre langage !

— Mon Dieu, père Forcier ! Le vrai mot, c'est cul à ce que je sache ! Comment voulez-vous que j'appelle ça, mon petit coussin ?

— Bon, je vais reconduire monsieur et madame Charland au salon et je vais aller avertir l'abbé pour la glace sur le perron du presbytère. Je n'appellerai pas le bedeau Carignan, car juste le temps qu'il va prendre pour arriver ici, la glace va être fondue.

— Ne vous dérangez pas monsieur le curé, je vais y aller. Où est-il l'abbé ?

— Il est parti vers la sacristie tout à l'heure avec mademoiselle Sylvianne pour lui faire visiter notre église.

Miséricorde ! Madame Pauline venait de repérer l'abbé Charland. Sa soutane était bourlinguée jusqu'en dessous de ses bras et mademoiselle Sylvianne était en tenue d'Ève. Et cela, dans le confessionnal, sous la septième station du chemin de croix où le fils de Dieu venait de tomber pour la deuxième fois. Tout en exécutant son signe de croix, elle avait décampé jusqu'à la nef, et au même moment, au prix d'une course folle, l'abbé s'était retrouvé à ses pieds.

— Vous allez le dire à monsieur le curé, madame Pauline ?

— Qu'est-ce que vous avez pensé, l'abbé ? Vous savez que si notre bon curé apprend ça, vous allez être obligé de...

— Pas si vous gardez le secret. C'est la première fois que ça m'arrive !

— Vous avez commis un sacrilège !

— Je vous promets que je vais implorer le pardon auprès du Seigneur, madame Pauline !

— Et vous pensez qu'il va vous exaucer ? Si j'étais à la place du Seigneur, je vous enverrais directement en enfer et je prierais le diable de vous brûler les os un par un !

— Je ne suis pas le seul vicaire à avoir eu une faiblesse quand même !

— Bien oui, bien oui... Puis, mademoiselle Sylvianne, va-t-elle sortir du confessionnal avant la messe de dix heures demain matin ?

— Je pense qu'elle a peur de vous, madame Pauline...

— Ce serait plutôt à moi d'avoir peur d'elle, elle est assez laide pour faire des remèdes, cibole !

Charles fut de retour chez Anne-Marie à sept heures, insatisfait de sa journée passée à Saint-Lambert.

— Pauvre chéri, ce n'est pas drôle de revenir bredouille...

— C'est ça la vie, ma belle. Il y avait deux Marie-Anne Francoeur à Saint-Lambert.

— Tu les as vues ?

— Oui... une qui reste sur l'avenue Mercille, mariée avec deux enfants. Je ne lui ai pas trop posé de questions, car je savais que la vraie Marie-Anne n'avait pas d'enfants. En tout cas, si elle en a eu après avoir déménagé, ils ne peuvent pas avoir quinze ou seize ans aujourd'hui.

— Et l'autre ?

— L'autre, c'était bien la Marie-Anne Francoeur qui a travaillé à la bibliothèque de Tracy.

— Et ce n'est pas ta sœur ?

— Elle est certaine que non. Elle est née à Sept-Îles. Son père s'appelle Marcel Francoeur et sa mère Thérèse Favreau.

— Je suis déçue pour toi, mon amour. Écoute, j'ai peut-être une autre idée.

— Oui, mon cœur ?

— Tu pourrais aller à l'hôpital Comtois à Louiseville. Et tu pourrais essayer de te renseigner aux archives ?

— C'est certain, Anne-Marie que si je vais aux archives de l'hôpital Comtois, je vais encore revenir bredouille. Je n'ai même pas sa date de naissance, tornon ! Je sais seulement qu'elle est née au mois d'octobre. Tu as raison, mon amour. Je vais essayer quand même, on ne sait jamais.

Chapitre 11

Sœur Marie-Jésus

Avril

LE MOIS DE LA JOLIE JONQUILLE. Mais un vilain rhume
retenait Anne-Marie dans son lit douillet. Malgré sa déception, Charles s'était quand même rendu à Louiseville
comme prévu.

Au bureau des archives de l'hôpital Comtois, une religieuse du nom de sœur Marie-Jésus le reçut forte de ses
soixante années de congrégation. Une sainte femme de quatre-vingt-deux ans dont les yeux couleur d'azur dégageaient
une lumière empreinte de bonté.

— Oui mon fils ! Votre sœur est née ici et je m'en souviens
comme si c'était hier.

— Vraiment, ma sœur ?

— Votre mère, Madeleine, était une sainte femme, monsieur Jolicoeur. La journée où elle est arrivée à l'hôpital pour
mettre votre petite sœur au monde, j'avais bien vu toute sa
détresse.

— Vous étiez là ?

— Bien oui… c'est moi qui m'étais occupée d'elle pendant
et après son accouchement. Je suis religieuse et auxiliaire
dans cet hôpital.

— Bien, je suis très heureux de vous rencontrer ma sœur ! Est-ce que je pourrais avoir une copie du baptistaire de ma sœur, ma mère ?

— Malheureusement, je n'ai pas le droit de vous le donner. Il faudrait qu'elle vienne le demander ici ou qu'elle fasse une demande par la poste.

— Cela va être bien difficile, je ne la connais même pas. Mais… moi, est-ce que je pourrais avoir mon acte de naissance ?

— Pas de problème, monsieur Jolicoeur, vous êtes né quelle date ?

— Le vingt-quatre décembre 1943

— Oh, vous avez failli être un petit Jésus !

— Eh oui !

— C'est bizarre, je ne vois pas votre nom dans le registre, êtes-vous certain que vous êtes né ici à l'hôpital ?

— Oui oui, je pense bien. Il y a un problème ?

— Je suis navrée, monsieur Jolicoeur, je ne l'ai pas…

— Voyons donc ma sœur, il s'est peut-être égaré ?

— Oui peut-être ! D'après moi, vous êtes né dans la maison de vos parents. Vous savez, dans les années quarante, il y avait beaucoup d'enfants qui naissaient dans la maison familiale.

Souvent, c'était une voisine qui allait aider les jeunes mères à accoucher.

— Eh bien ! Si c'est le cas, ma mère ne m'a jamais parlé de cela. Je sais que j'ai été baptisé à l'église Saint-Antoine de Padoue, mais pour ma naissance, si je suis né à la maison, je n'en ai aucune idée.

— Alors, la seule chose qui vous reste à faire est d'aller au presbytère et demander une copie de votre baptistaire au curé Ouellet.

— Je vais y aller en sortant d'ici. Vous êtes vraiment très aimable, ma sœur. Je peux vous poser une autre question avant de partir ?

— Certainement, mon garçon.

— Lorsque ma mère a quitté l'hôpital, deux jours après, ma sœur a été adoptée…

— C'est exact. Ta mère pleurait tellement, elle m'avait demandé de garder sa fille ici pour ne pas qu'elle soit adoptée. Pauvre femme, elle avait le cœur en miettes.

— Est-ce que vous savez le nom des gens qui l'ont adoptée ?

— Oui, mais malheureusement, je ne peux rien vous divulguer.

— Je le savais. Je m'excuse de vous avoir demandé cela, ma sœur. J'ai été un peu trop loin dans mes questions, je pense.

— J'aimerais tant vous aider, mais ce serait me mettre à dos le Seigneur et l'hôpital.

— Je comprends, ma sœur.

— Laissez-moi donc votre numéro de téléphone, monsieur Jolicoeur. On ne connaît pas l'avenir, peut être que si vous êtes vraiment né à l'hôpital Comtois, en faisant une recherche plus approfondie, je pourrais retrouver les documents.

— Vous êtes vraiment bonne, ma sœur. Je vais vous donner mon numéro et celui de mon amie. Une dernière chose ?

— Prenez tout votre temps, je suis ici pour vous…

— Est-ce que je pourrais vous embrasser sur la joue, est-ce que c'est permis ça ?

— Oh ! Bien sûr, vous savez, je suis la femme de Dieu, mais Dieu m'a aussi créée en me recommandant d'aimer tous les enfants de la terre.

Au presbytère de Saint-Antoine de Padoue, Charles fut ravi d'apprendre qu'il existait un baptistaire émis en son nom. Le curé de la paroisse lui avait fait la promesse de le lui poster aussitôt qu'il serait prêt.

Le calme régnait à la bibliothèque de Tracy ainsi qu'à l'école Mère-Marie-Rose. Les enfants étaient en congé et les parents, après une longue hibernation, vaquaient fébrilement à leurs occupations.

— Tu as beaucoup maigri Solange ?

— Oui, j'en suis bien heureuse. C'est facile, je ne fais plus de ragoût de boulettes ni de graisse de rôti !

— Mais tu n'étais pas obligée d'en manger ?

— Quand tu as un rôti de lard devant toi, te lèves-tu pour te faire une salade aux œufs durs, hein ?

— Ouin, quant à ça. As-tu revu Jean-Claude dernièrement ?

— Une seule fois, au parc nautique ici à Contrecœur, en prenant une marche. Il était avec sa Josée. Une vraie guidoune !

— Pourquoi dis-tu cela ?

— Elle portait une camisole rose nanane qui lui cachait à peine les mamelons !

— Tu n'exagères pas un peu, Solange ?

— Oh que non ! En plus, elle portait une mini-jupe, on aurait dit un panneau de cinq pouces, on lui voyait tout le derrière, seigneur de Dieu !

— Oh hi hi…

— Qu'est-ce que tu veux ? Jean-Claude aime ça lui. Il a toujours été vicieux.

— Est-ce qu'il t'a parlé ?

— Tu rêves, ma vieille ! Quand il m'a vu, les yeux lui sont sortis de la tête, tellement il avait l'air enragé !

— Ouin, c'est plate… Il est en maudit après toi et c'est lui qui a osé te tromper. Un drôle de moineau, ce Jean-Claude-là !

— Bien oui, on dirait que c'est moi la coupable là-dedans ! Sais-tu ce que l'on devrait faire après notre *shift*, Anne-Marie ?

— Quoi ?

— On devrait partir toutes les deux pour aller magasiner au Mail Champlain… On pourrait souper là aussi, qu'en penses-tu ? À moins que tu ne puisses te passer de ton beau Charles !

— Je n'ai pas de permission à demander à mon Charles. Je vais juste l'avertir que je m'en vais avec toi, c'est tout.

— Ça va tellement bien entre vous deux. Si cela avait marché aussi avec mon Jean-Claude, je serais peut-être encore avec lui aujourd'hui…

— Tu t'ennuies de lui ?

— Je ne le sais plus si je m'ennuie ou si c'est seulement que je trouve la maison un peu trop grande…

— Je ne peux pas penser pour toi, Solange… Puis là, je trouve que cela fait assez longtemps que tu es célibataire ! On va partir à la chasse à l'homme et ça commence aujourd'hui !

— Voyons donc toi, on n'attrape pas un homme comme ça en criant ciseau !

Suite au souper légèrement arrosé d'un vin rosé, Solange et Anne-Marie ont fait du lèche-vitrine. Seule, Anne-Marie s'était entichée d'une petite tenue de nuit trouvée au magasin Reitmans. Une jolie nuisette de satin blanc agencé d'une petite culotte de dentelle échancrée jusqu'à la taille.

— Ouin, ça sent l'orage ça !

— Crois-tu qu'il va sauter sur moi ce soir ?

— J'en suis certaine ! Je peux te dire que quand tu vas lui montrer, tu ne le garderas pas longtemps sur toi ! Tu es bien chanceuse de posséder ce corps-là toi…

— Pourquoi n'en achètes-tu pas un toi aussi ?

— Et pour qui vais-je le mettre, dis-moi ?

— Ce sera une réserve pour quand arrivera ton prince charmant !

— Pas vraiment, je me trouve un peu grosse pour me pavaner dans un petit *baby doll* comme celui-là.

— Voyons donc, Solange ! Regarde, il y en a justement un comme le mien, couleur pêche.

— D'accord ! Mais ne ris pas de moi.

— Pourquoi rirais-je de toi ? Allez ! Vas-y !

Au sortir de la salle d'essayage, Solange reçut le regard admiratif de son amie. Elle était vraiment sensuelle et la lingerie lui allait parfaitement. En se regardant dans le grand miroir, elle aperçut tout près d'un présentoir un homme accompagné d'une jolie jeune fille, et celui-ci la fixait intensément d'un regard admiratif. Rouge écarlate, celle-ci se sauva dans la cabine d'essayage.

— Est-ce qu'il est parti Anne-Marie ?

— Oui… Veux-tu bien me dire ce qu'il se passe, toi ? On dirait que tu as vu un revenant, sainte-mère !

— Je le connais ce gars là, Anne-Marie… As-tu vu comment il me regardait ? En plus, il est avec sa blonde ! Maudits hommes !

— Mais qui est-ce ?

— C'est Mario Martin…

— Et ?

— Je ne le sais pas ce qu'il fait au Mail Champlain, la dernière fois que j'ai vu ce gars-là, c'était à Saint-Basile. C'était mon voisin de rang.

— Regarde, on rencontre beaucoup de gens au Mail Champlain, tout le monde de la Rive-Sud vient magasiner ici. C'est bien normal que tu rencontres du monde que tu connais, non ?

— Je le sais bien. Mais de la façon dont il m'a regardée, j'ai eu la chair de poule !

— Tu as eu la chair de poule parce que tu étais fâchée ou tu as eu la chair de poule parce que cela t'a fait un petit velours qu'il te regarde ainsi ?

— J'aurais pu être flattée, c'est vrai. Tu as vu, il était avec sa blonde, alors c'est juste un hypocrite !

— Bon bon… Au moins, tu sais que ton *baby doll* pêche va faire sensation sur ton nouvel amoureux.

— Arrête donc ! Allons, partons. Oh, non !

— Mon Dieu ! As-tu vu un loup ?

— Regarde… On va être obligé de passer devant lui, il est assis sur le banc là-bas !

— Bien oui et après ? On n'est quand même pas pour changer de côté, il vient de nous apercevoir. Tu aurais l'air d'une sauvageonne…

— Bonjour Solange ! Ça fait longtemps ? Qu'est-ce que tu deviens ? Tu habites dans la région ? Ça fait au moins neuf ans que je ne t'ai pas vue ?

— Bonjour Mario… Je reste à Contrecoeur, et toi ?

— Moi je reste à Saint-Laurent du Fleuve, c'est près de chez toi !

— Bien oui, regarde donc ! Bonjour mademoiselle…

— Mademoiselle ? Voyons, tu ne vas pas me dire que tu ne reconnais pas ma sœur Martine ?

— Martine ! Seigneur de Dieu ! La dernière fois que je l'ai vue, elle devait avoir environ cinq ans ! Comment ça va ? Est-ce que tu te souviens de moi, Martine ?

— Bien oui Solange. Je me rappelle, c'est toi qui venais me garder quand mes parents allaient au bingo le mardi soir !

— Oui, quel âge as-tu maintenant ?

— Vingt-quatre ans…

— Je n'en reviens pas ! Oh ! Excusez-moi, je vous présente ma grande amie Anne-Marie Sirois…

— Bonjour Anne-Marie, vous demeurez à Contrecœur vous aussi ?

— Oui ! Et je travaille au même endroit que Solange.

— Vraiment ! Et vous travaillez à quel endroit ?

— On travaille à la bibliothèque de Tracy.

— Ah ! J'y suis allé au mois de décembre pour trouver de la documentation sur l'Égypte. Mais, tu n'étais pas là.

— J'étais en congé maladie…

— Rien de grave, j'espère ?

— Je m'étais seulement brisée le bras en pelletant ma galerie.

— Ton mari ne le fait pas pour toi ?

— C'est parce que j'en ai plus de mari depuis l'hiver passé.

— Désolé…

— C'est correct, tu ne pouvais pas savoir… Je vois que tu as des sacs de chez Eaton, ta femme te fait confiance pour que tu choisisses ton linge toi-même ?

— Je ne suis pas marié. Pourquoi penses-tu que Martine est avec moi ? Il faut qu'elle soit là, sinon je ressemblerais à un clown, je suis daltonien au troisième degré !

— Je comprends !

— Pourquoi, dis-tu cela en me regardant avec un petit sourire en coin comme cela ?

— Tu as un bas brun et un bas vert…

— C'est tu vrai Martine ?

— Désolée, je n'avais pas remarqué mon p'tit frère…

— C'est ça, moquez-vous toutes de moi ! Est-ce que vous vous en retourniez à Contrecœur là ?

— Oui, nous partions justement.

— Pourquoi, ne pas s'arrêter chez Gaby pour prendre un café, c'est sur notre chemin ?

Solange lança un regard implorant à Anne-Marie qui comprit immédiatement.

— Pourquoi pas ! De toute façon, il n'y a personne qui nous attend. Tu es d'accord, Solange ?

— Vous êtes célibataire aussi, Anne-Marie ?

Solange ne laissa pas la chance à Anne-Marie de répondre.

— Non ! Anne-Marie est en amour par-dessus la tête !
Tout au long du trajet les menant au restaurant Chez Gaby,
Anne-Marie n'avait cessé de questionner son amie. Es-tu
déjà sorti avec lui ? Est-ce qu'il parle toujours beaucoup
comme cela ? Penses-tu que ce serait un gars pour toi ?

— Voyons Anne-Marie, relaxe ! On dirait que tu veux me
mener au pied de l'autel avec toutes tes questions ! On s'en
va seulement prendre un café, et non je ne suis jamais sortie
avec lui.

— Bien oui, on s'en va juste prendre un café ! Et là, c'est
moi qui ai une poignée dans le dos maintenant ?

— Pourquoi, dis-tu cela ?

— Tu ne te vois pas ? Tu étais tout énervée quand il nous a
demandé d'aller prendre un café !

— C'est seulement que j'étais contente de le voir, et j'ai le
goût d'aller jaser avec lui. Est-ce que tu le trouves beau ?

— Oui, il est beau Solange, et pourquoi me regardes-tu
avec des yeux en tête de lit ?

— Voyons, je veux juste jaser avec lui ! Seigneur de Dieu, je
ne veux pas coucher, avec lui !

— Ouin ouin… je vois clair, tu sais…

Chapitre 12

LA VÉRITÉ

Juin

LE SOLEIL DARDAIT SES RAYONS sur les jardins fleuris. Dans moins d'une heure, les enfants émettraient des cris joyeux. La neige de l'hiver avait rongé le ciment des trottoirs et sur le joli terrain du presbytère écrasé sous un soleil de feu, le curé Forcier s'acharnait à faire avancer sa brouette remplie à ras bords de terre noire. Ce n'était pas sa spécialité de labourer la terre, mais pour ensemencer ses fleurs préférées, telles les giroflées, les jacinthes et les anigozanthos, communément appelées « pattes de kangourou », il était prêt à travailler comme un forcené. Amputé de la jambe gauche, un seul genou ne pouvait soutenir cet homme imposant plus de dix minutes.

Plus loin, occupé à chasser la poussière des marches de la sainte église, le bedeau Carignan, connaissant l'orgueil de son supérieur, n'osait lui offrir son soutien.

— Vous allez bien, monsieur le curé ?

— Oui bedeau, je devrais avoir fini avant de planter les fleurs du mois d'août ! Bonté que ce n'est pas drôle ! Quand j'étais jeune, je me plaignais le ventre plein, comme on dit !

— Pourquoi, dites-vous cela, monsieur le curé ?

— J'avais deux miles à marcher pour me rendre à la petite école et je me plaignais de mes vieilles godasses tout au long du trajet ! J'aimerais bien mieux aujourd'hui encore les avoir mes vieilles godasses que d'être arrangé comme un vieil impotent ! Vous ne pensez pas ?

— Bien sûr ! Voulez-vous que je vous donne un coup de main, mon père ?

— Ouf ! Je ne vous dis pas non, le soleil est en train de me rôtir le crâne, bonté !

— J'arrive, monsieur le curé. Regardez, je vais pousser la barouette et vous me direz où vous voulez que je m'arrête pour que vous puissiez planter vos fleurs. Attendez... je vais vous donner votre canne.

À la suite de plusieurs tentatives du bedeau devant son curé impatient, la brouette n'avait pas bougé d'un pouce.

— Voyons bedeau ! Vous n'avez pas mangé vos œufs ce matin ? Si vous ne pouvez pas la pousser, essayez de la tirer sinon tirez-vous de là, bon Dieu ! Vous êtes en train de faire plein de trous dans mon gazon avec vos gros bottarleaux !

— Mais comment avez-vous fait pour pousser cette barouette-là depuis deux heures, vous ? Vous avez des bras de fer !

— Premièrement, bedeau, ce n'est pas une barouette, c'est une brouette ! Et puis regardez la différence entre nous deux, c'est que vous, au lieu de forcer avec vos bras, vous forcez avec votre tête. Vous êtes rouge comme le diable ! Puis, laissez donc faire, bedeau, je vais continuer cela après le souper quand le soleil va baisser.

Dans la cuisine du presbytère, madame Pauline avait mijoté des jarrets de bœufs et un succulent gâteau des anges qui furent un régal pour les papilles du bon curé et de son vicaire.

— Madame Tessier, c'était divin !

— Depuis quand vous faites des compliments sur la cuisine de madame Tessier, l'abbé ? Depuis un bout de temps, vous ne cessez pas de la louanger, cette femme-là !

— C'est juste que je me suis habitué à elle, mon père. C'est certain qu'elle a ses petits défauts, mais c'est un cordon bleu.

— Je ne vous reconnais plus l'abbé... Est-ce que vous avez quelque chose à vous faire pardonner envers madame Tessier ?

— Non, non, monsieur le curé... Bon, je vais aller remplacer les lampions dans l'église, ça va me faire digérer.

— Faites donc, et en même temps l'abbé, faites-en brûler un pour remercier le Seigneur de vous avoir montré les qualités de cette femme dévouée.

Les récoltes furent abondantes cette année-là. Et aujourd'hui, en ce vingt-huit août, les nuages gourmands, d'une seule bouchée, venaient d'engloutir l'astre lumineux. Ce fut une journée idéale pour Anne-Marie qui se reposait sur sa grande véranda car, depuis deux jours, une gastro-entérite la terrassait. Charles ne la quittait pas une minute et madame Pauline, qui s'était présentée avec du yaourt fait maison, lui avait suggéré de boire de l'eau de riz.

La pluie chaude venait de cesser et quelques rayons essayaient de se faufiler entre les nuages.

— Est-ce que je peux faire autre chose pour toi mon cœur adoré ?

— Mais non mon amour. Demain, je devrais avoir repris mes forces pour aller à Louiseville.

Le téléphone sonna.

— Pourrais-tu répondre, Charles ?

— Allo ?

— Bonjour, est-ce que je parle à monsieur Jolicoeur ?

— Oui, c'est moi ?

— Je suis Yvette Beaupré, la secrétaire de l'hôpital Comtois de Louiseville...

— Oui, madame Beaupré ?

— J'ai un message pour vous de la part de sœur Marie Jésus... Elle demande si vous pouvez passer la voir.

— Oui, c'est certain ! Elle vous a donné un rendez-vous pour moi ?

— Non, vous pouvez vous présenter à l'hôpital à l'heure qui vous convient. Et si c'est possible pour vous, je vous suggère de ne pas trop retarder votre visite, monsieur Jolicoeur.

— Elle ne va pas bien ?

— Non, elle a décidé de rendre son âme au Seigneur.

— Non ! Je vais y aller demain, madame Beaupré. Pouvez-vous la prévenir de ma visite ?

— Certainement, je vais lui transmettre votre message, ainsi elle va sûrement vous attendre une journée de plus, car quand elle m'a demandé de communiquer avec vous, j'ai senti qu'elle accordait une grande importance à votre visite.

Au lever du jour le lendemain, Charles avait du se rendre à l'évidence que sa bien-aimée ne serait pas du voyage à Louiseville. Celle-ci retrouvait lentement son teint de pêche, mais les nausées persistaient toujours. Elle avait poussé Charles à partir sans elle en lui promettant que dans la matinée elle visiterait son médecin, le bon docteur Gadbois.

— Bonjour, vous devez être madame Beaupré ?

— Oui monsieur, je peux vous aider ?

— Oui, je suis Charles Jolicoeur. Vous m'avez téléphoné pour me dire que sœur Marie Jésus désirait me voir.

— Oui, monsieur Jolicoeur. Elle est au deuxième étage dans l'aile B, la chambre deux cent douze.

— Merci madame, je m'y rends tout de suite.

Charles retrouva une vieille femme à la fois très fatiguée et très belle. Le regard céleste de sœur Marie-Jésus se posa tendrement sur lui, et d'un geste lent de la main, elle l'invita à s'installer près d'elle sur les draps immaculés. Dépouillés de son long voile noir, ses cheveux blancs encadraient l'éclat de ses yeux bleu ciel et ses mains étaient entrelacées d'un long chapelet de grains d'ivoire.

— Vous voulez vraiment nous quitter, sœur Marie-Jésus ?

— Mon enfant, je me suis dévouée pour le Saint-Père et la communauté tout au long de ma vie, et là je pense qu'il est temps pour moi de voir à quoi ressemble cet homme-là.

— Vous allez aussi retrouver ma mère, Madeleine, vous savez ?

— Oui, et d'ailleurs je l'informerai que son fils Charles a enfin retrouvé sa petite sœur Marie-Anne.

— Oh...

— Sais-tu mon fils que je vais aller à l'encontre du Seigneur en te dévoilant ce secret ?

— Oui, je sais ma sœur, mais si vous pensez que le Bon Dieu peut vous tourner le dos quand vous allez entrer au paradis, j'aimerais mieux que vous emportiez le secret avec vous. Je suis prêt à en faire mon deuil pour que vous ne vous sentiez pas coupable envers lui.

— Je vais avoir une conversation avec Saint-Pierre aux portes du ciel pour qu'il dise à Dieu que j'ai rendu un homme heureux sur la terre avant d'entreprendre ma nouvelle vie auprès des autres chrétiens.

— Mais, vous pourriez rester encore un peu ? Je vais revenir pour vous présenter ma sœur Marie-Anne ?

— Je voudrais bien mon garçon, mais mon heure de départ, c'est aujourd'hui. J'attendais seulement ton arrivée pour partir en paix.

— Je vois que vous êtes très fatiguée, ma sœur. Je vais vous laisser vous reposer. Je vais aller à la cafétéria prendre un café et je vais revenir vous voir dans une heure...

— Charles, le temps s'écoule et je ne veux pas que tu reviennes dans une heure pour me fermer les yeux.

— Je me rends à vos dernières volontés, si c'est ce que vous désirez...

— C'est bien, mon fils. Quand ta mère est arrivée ici à l'hôpital Comtois en 42, je suis demeurée près d'elle tout le temps de son séjour. Avant que je la reconduise à la salle d'accouchement, elle m'avait demandé d'être auprès d'elle le lendemain pour la visite des parents adoptifs de ta sœur.

— Qui sont-ils ?

— Laisse-moi parler Charles, je suis très fatiguée et je ne veux rien oublier.

— Pardon !

— Ta mère, Madeleine, avait accouché de ta sœur à l'aube et ses parents adoptifs étaient venus la voir à dix heures le matin même. Le lendemain, quand elle est sortie de l'hôpital, elle avait amené ta sœur dans sa maison et c'est le surlendemain, au baptême, qu'elle s'était déchiré le cœur...

— Pauvre maman, j'ai tellement de peine pour elle !

— Tu as beaucoup de chagrin, et je te comprends.

— Oui, parce que je suis bien conscient que ma mère m'a aimé sans condition et ma petite sœur, malheureusement, est passée à côté de tout ce bonheur-là.

— Oui, mais dis-toi qu'elle ne l'a jamais su cette enfant-là. Le jour où elle a été baptisée, les nouveaux parents avaient déjà changé son nom.

— Elle ne s'appelle plus Marie-Anne Jolicoeur ?

— Non, regarde dans le tiroir à côté et donne-moi l'enveloppe blanche.

Charles ouvrit le tiroir et avant de s'emparer de l'enveloppe, il s'était mis à trembler de tous ses membres.

— Merci Charles... Il y a deux documents dans cette enveloppe, l'attestation de naissance de ta sœur et son baptistaire. Voilà son attestation de naissance.

— Merci ma sœur.

Centre Hospitalier Comtois
41 rue Comtois,
Louiseville, Québec.
Attestation de Naissance
Le 2 Juin1975

Madame, Monsieur,
Nous certifions par la présente que le bébé Jolicoeur de sexe
féminin est né à notre centre hospitalier le 8 octobre 1942 à
quatre heures quarante.
Mireille Langevin
Archiviste responsable des Archives Médicales

— Je suis bien heureux de l'avoir entre mes mains, ma sœur. Mais quel est son vrai nom ? Et comment vais-je la retrouver à présent ?
— Tiens mon fils, voilà son baptistaire.

Acte de naissance et de baptême
Paroisse Saint-Antoine de Padoue de Louiseville.
Le présent certificat mentionne les éléments d'un acte ap-
paraissant aux registres de cette paroisse. On peut obtenir
également une copie entière et littérale de cet acte.
Le soussigné certifie, selon ce qui est inscrit aux registres de
cette paroisse, que :
Marie Maria, Anne-Marie Sirois
Fille de Jean-Paul Sirois
et de Françoise Lefebvre
est née à Louiseville, Québec, Canada

le Huit octobre mille neuf cent quarante-deux, et a été bap-
tisée le dix octobre mille neuf cent quarante-deux selon les
rites de l'Église catholique romaine.
Certificat émis à Louiseville, Québec.
Le 2 juin 1975
Fréderik Ouellet
Prêtre

— Non! Non! C'est une erreur! Ce n'est pas Anne-Marie!

Quand Charles se tourna vers la sainte femme pour
qu'elle lui confirme qu'il avait bel et bien rêvé, celle-ci venait
de fermer les yeux pour l'éternité.

Chapitre 13

UN COUPLE ANÉANTI

Sans le savoir, avant de s'éteindre, sœur Marie-Jésus venait de panter dans le cœur de Charles une douleur qui par malheur s'enracinerait jusqu'à la fin des temps. Pour Charles et Anne-Marie, le verbe aimer ne pourrait plus jamais être conjugué. Il ne restait plus au couple qu'à inhumer les doux moments passés et à se résigner à un futur empreint d'amertume.

Devant Charles, sur la route, le ciel s'était couché sur la terre et nul guide ne pouvait lui indiquer le chemin à prendre pour retrouver Anne-Marie. Au cimetière de Louiseville, agenouillé sur la tombe de Madeleine, celui-ci criait sa douleur.

— Pourquoi m'avoir dit que j'avais une sœur maman ? Pourquoi ? Maman, j'ai couché avec ma sœur, christ ! Je me sens tellement sale ! J'ai juste envie de mourir, et si je le dis à Anne-Marie, on va mourir tous les deux ! Est-ce qu'en dessous de ton nuage tu peux voir que la terre s'est arrêtée de tourner et que toutes les fleurs sont enterrées dans les jardins ? Il n'y a plus rien de beau ici-bas, je voudrais juste prendre une échelle pour grimper là-haut, mais d'un autre côté, je serais juste un maudit sans cœur de me sauver d'Anne-Marie ! Jamais je n'aurais pensé qu'un jour tu aurais pu être aussi méchante avec moi !

Plusieurs minutes s'écoulèrent avant qu'il se décide à quitter le cimetièère. Près de l'endroit où sa mère reposait, se trouvait la pierre tombale de son père. Arrivé devant, d'un violent coup de pied, il tenta de la faire voler en poussière, souhaitant que les éclats de pierre rejoignent la verdure desséchée et souillée qui s'étendait tout au long de l'allée crevassée.

— Allo mon amour ! Tu vois, je vais mieux, je ne fais plus de température...

— Allo...

— Tu ne m'embrasses pas ?

— Tout à l'heure Anne-Marie.

— Qu'est-ce qu'il y a, Charles ? Pourquoi sœur Marie Jésus avait-elle demandé à te voir ?

— Elle voulait me voir avant de mourir et...

— Il ne lui en reste plus pour longtemps à ce que je vois ?

— Elle est morte.

— Oh, non ! Je suis désolée, est-ce que tu as eu le temps de lui parler ?

— Oui ! Viens, nous allons nous asseoir.

— Raconte-moi Charles, est-ce qu'elle t'a remis les renseignements que tu voulais au sujet de ta sœur ?

— Oui, j'ai pu rapporter son baptistaire.

— Oh ! Je suis contente pour toi, mon chéri.

— Tiens...

— Tu t'es trompé Charles, tu m'as donné le mien. Mais je suis contente que tu lui aies demandé, je ne me souviens plus où j'ai bien pu serrer l'original quand je suis déménagée. Je vais en avoir besoin si on décide d'aller dans le sud cet hiver !

— Anne-Marie...

— Quoi ?

— Le baptistaire que tu tiens entre tes mains, c'est le baptistaire de ma sœur.

— Voyons, c'est le mien, c'est écrit Anne-Marie Sirois !

— Oui et celui de ma sœur.

— Que veux-tu dire, Charles Jolicoeur ? Ce n'est pas drôle du tout !

— Écoute Anne-Marie, quand Marie-Anne est née le huit octobre mille neuf cent quarante-deux...

— Elle est née la même date que moi en plus ?

— Écoute-moi Anne-Marie, dieu du ciel ! Oui, elle est née la même date que toi, le huit octobre sous le nom de Marie-Anne Jolicoeur et le dix, elle a été baptisée du nom d'Anne-Marie Sirois.

— Viens ici...

— Ne me touche pas !

Il était impuissant devant la détresse de celle qu'il aimait de tout son être. Cette femme si heureuse venait de perdre son envie de vivre à tout jamais. La vieille laide de son père, qui en fait n'était pas le sien, se retrouvait par le fait même propulsée dans son passé. Si elle avait pu savoir qu'elle n'était pas la fille légitime de Jean-Paul Sirois, jamais elle ne se serait attardée dans cette demeure où elle n'avait jamais été la bienvenue.

Elle entendait encore les paroles de celui qui avait prétendu être son père : « Anne-Marie ! Va faire cuire la viande, y'é cinq heures. T'es donc bien paresseuse la vieille laide, mon déjeuner n'est pas encore prêt ? Si je te pogne encore chez cette vieille folle après l'école, je t'enferme dans ta chambre et quand il va faire noir, je souhaite que le loup-garou t'apparaisse pour te punir, bâtard ! »

Certaine d'avoir perdu la raison, elle regarda Charles dans les yeux pour l'implorer de lui avouer qu'il y avait eu erreur sur la personne et qu'ils pouvaient continuer à s'aimer comme avant. Mais, il baissa le regard et, déposant la main sur son cœur, se mit à pleurer comme un enfant.

Que dire ? Que faire ? Et comment continuer à vivre devant tant d'injustice ?

— Anne-Marie...

— Je veux mourir, Charles ! Pourquoi Dieu ne nous l'avait pas dit avant ?

— Je ne sais pas ! Il voulait qu'on s'aime malgré tout, et c'est pour cela qu'il ne nous punira pas.

— Nous avons couché ensemble ! Tu es mon frère ! Quand tu m'avais parlé de ta mère, je t'avais dit : « Si j'avais pu avoir une mère comme la tienne, j'aurais pu jouir d'une enfance normale remplie d'amour ! Ton père était comme le mien, un hostie de sans cœur.»

— Anne-Marie, mon père, c'était aussi le tien.

— Le berceau dans la maison des Taillefer, c'est mon berceau à moi aussi ?

— Oui, on a tous les deux dormi dans ce berceau.

— C'est pour cela que je m'étais sentie aussi mal quand je l'avais touché ! Et ta mère... ma mère... j'ai eu le bonheur d'être dans ses bras juste deux jours avant que ton, notre sans cœur de père m'arrache à elle ? Et je reste dans la maison de ma tante Rosalie aussi ?

— Qu'est-ce qu'on va faire Anne-Marie ? Je t'aime de tout mon cœur, tu es toute ma vie !

— Oh ! Je t'aime de tout mon être moi aussi, mais à l'avenir, il va falloir qu'on se voie comme frère et sœur, et cela sera au-dessus de mes forces ! Mon cœur vient de se séparer en deux, une moitié pour essayer de te considérer comme un frère et l'autre pour...

— Mais je t'aime, moi ! On pourrait continuer de s'aimer comme avant ? Il y a juste toi et moi qui l'avons vu ce damné papier-là ! Personne ne pourra dévoiler notre secret, nos parents sont morts !

— Dis-moi Charles ! Est-ce que tu pourrais encore faire l'amour avec moi en sachant que je suis ta sœur ?

— Oui, car je t'aime comme un fou. On aurait juste à être prudent pour ne pas avoir d'enfants, et si un jour on veut élever une famille, on en adoptera des enfants ?

— Charles, l'autre moitié de mon cœur, c'est la moitié que je garde pour laisser grandir mon enfant qui va naître au mois de...

— Non ! Nous allons avoir un petit bébé à nous ?

— Je vais avoir un bébé, Charles, et j'implore Dieu de me le livrer en santé.

— Tu ne peux pas me faire ça ? C'est aussi mon enfant, à ce que je sache !

— Je suis désolée, Charles. Oui tu es son père, mais tu es aussi son oncle.

— Laisse-moi vivre auprès de toi, mon cœur. On va se marier pour voir grandir notre enfant !

— Je regrette Charles, ce serait au-dessus de mes forces.

— Si c'est cela que tu veux, je vais respecter ton choix parce que je t'aime. De toute façon, c'est comme si j'étais mort ! Puis vivre dans le rang du Ruisseau ou ailleurs, je suis fini quand même.

— Tu vas déménager ?

— Oui, je vais mettre une pancarte devant la maison demain matin.

— Où vas-tu aller ? Pourquoi a-t-on mérité cela tous les deux ? Dis-moi que ce n'est qu'un cauchemar ?

— J'aimerais bien que sœur Marie-Jésus revienne sur terre pour nous informer qu'on a fait juste un mauvais rêve. Mais si en ce moment elle est assise à la droite du père, c'est que son voyage sur la terre a été accompli avec dignité.

— Oh ! Si ta mère avait su me garder, on ne serait pas en train de se déchirer comme ça, on s'aimerait comme frère et sœur et on ne serait pas complètement anéantis aujourd'hui.

— La providence en a décidé autrement. Je vais partir Anne-Marie parce que je respecte ta décision, mais il faut que tu me jures que jamais tu ne m'empêcheras de serrer mon enfant sur mon cœur.

— Comment veux-tu que je t'enlève ce que ta mère a perdu à tout jamais le dix octobre.

— Merci… Et tout au long de notre vie, même si nos routes se séparent, je serai toujours là pour toi et lui.

Chapitre 14

L'ERRE D'ALLER

DEPUIS LE DÉPART DE CHARLES, Anne-Marie n'avait plus qu'une raison d'être et c'était de faire découvrir la lumière de la vie à son enfant. Beaucoup de questions planaient au-dessus du rang du Ruisseau, et personne n'osait les poser, même madame Pauline était restée muette devant cette séparation subite.

Anne-Marie se rendait à son travail à reculons et chez elle un climat morbide s'était installé dans toutes les pièces de la maison. Il est vrai que depuis son enfance elle avait dû tourner bien des pages, mais des feuilles noircies comme celles-ci, jamais elle ne pourrait les effacer. Le chemin de la guérison serait long et tortueux. Il faut du temps pour qu'une une telle douleur se cicatrise. Il faut trouver la force de continuer à vivre et quand vient le temps où les yeux recommencent à voir, que l'ouïe s'attarde à nouveau au chant d'un oiseau, alors peut-être sera venu le temps de glisser doucement vers de nouvelles étapes.

Un matin, Solange, n'en pouvant plus de voir son amie s'enfoncer dans la dépression, se décida à percer la bulle de celle-ci.

— Parle-moi Anne-Marie… Cela fait trop longtemps que tu souffres, et sans savoir ce qui se passe dans ton coeur, je ne peux rien faire pour toi, moi.

— Je ne peux pas, c'est trop souffrant Solange.

— Là, tu vas cesser de pleurer et me dire ce qui se passe. Je ne te laisserai pas sombrer dans le noir comme ça, tu m'entends ? En sortant de la bibliothèque, tu t'en viens chez moi et nous allons discuter.

C'est devant un expresso qu'Anne-Marie avait laissé couler un torrent de larmes et que Solange n'avait pu retenir sa peine. Personne ne méritait un tel chagrin, surtout pas son amie.

— Dis-moi que je rêve, Anne-Marie !

— Je ne peux pas, Solange. J'ai moi-même rêvé qu'il reviendrait, mais il n'est jamais revenu. Et ne conte jamais mon histoire à personne, je suis trop humiliée.

— Maudit que la vie est plate ! Tu nageais dans le bonheur et maintenant tu essaies juste de ne pas te noyer dans ta peine !

— Oui. Et aujourd'hui, je suis en train de couler comme une vieille souche.

— Tu ne couleras pas ! Oh non ! Je vais tout faire pour t'en empêcher, moi ! Il y a un petit être en dedans de toi qui n'as pas demandé à venir au monde puis quand il va arriver, il faut qu'il sache que sa mère l'a espéré pendant neuf mois en l'aimant de toutes ses forces.

— Je ne sais même pas s'il va arriver en santé, cet enfant-là !

— Il va arriver en parfaite santé si tu changes d'attitude, Anne-Marie. Comment penses-tu qu'il se sent à l'heure actuelle en te voyant juste essayer de survivre ? Là, tu vas te donner des coups de pieds dans le derrière et tu vas prendre les journées qui sont devant toi au lieu de piétiner dans le passé. Je sais que tu vas me dire, c'est facile de me dire cela ! Ça parait que ce n'est pas toi qui es enceinte ! Mais j'ai des petites nouvelles pour toi ma vieille. Je suis enceinte, moi aussi. Et on va accoucher l'une en arrière de l'autre !

— Ce n'est pas vrai ! Non ! Ma Solange avec un bébé ! Et Mario, qu'est-ce qu'il dit de cela ?

— Il est fou comme un balai, et Martine aussi ! Vois-tu ma belle, je viens de t'arracher un sourire. Merci Seigneur de Dieu !

— Il y a de quoi, allez-vous vous marier ?

— Il faudrait que je divorce de Jean-Claude avant ! Mais Mario a vendu sa maison à Saint-Laurent du Fleuve et il s'en vient rester avec moi ici.

— Tu es contente pour le bébé, Solange ?

— Mets-en ! Je n'aurais jamais pu imaginer tomber enceinte à trente-cinq ans ! Cet enfant-là, c'est un cadeau du ciel.

— Et j'imagine que c'est Martine qui va être la marraine ?

— Tu as tout deviné, ma chère. En plus, elle se marie au mois de novembre avec son beau Éric. Et toi, ton petit cœur fera la joie de qui comme filleul ?

— Mais, qu'est-ce que tu crois ? De toi, ma vieille ! Naturellement, si tu veux être sa marraine ?

— Oh…

— Alors, tu veux ou tu ne veux pas ?

— Bien, c'est certain !

— Ouf ! Heureusement que tu as dit oui, sinon mon enfant aurait été orphelin de marraine. J'aurais pu solliciter

Annick et Louis, mais je trouve cela un peu loin d'avoir des parrains aux États-Unis.

— C'est vrai, ils ont maintenant déménagés. Est-ce qu'Annick est au courant de ce qui t'arrive ma belle ?

— Au moment où on se parle, elle devrait être au courant. Je lui avais écrit dans ma dernière lettre. D'après moi, ce ne sera pas long avant que j'aie un téléphone de Grand Rivers.

— Et Charles, qu'est-ce qu'il fait maintenant ?

— Il habite à Verchères comme je te l'ai dit et il enseigne encore à l'école Mère-Marie-Rose. Il m'appelle une fois par mois pour avoir des nouvelles et pour voir si tout se passe bien pour le bébé.

— Juste une fois par mois ? Ce n'est pas beaucoup.

— C'est moi qui lui ai demandé Solange, car il m'aurait appelé à tous les jours et j'ai assez mal comme ça.

— Pauvre chouette, maudit que ce n'est pas drôle !

Charles aussi ne vivait que sur une erre d'aller. Après avoir vendu sa maison aux Joyal, il avait déménagé dans un logement sur la rue Pascal à Verchères. Comme il s'était confié à Doris, sa consœur de travail à l'école Mère-Marie-Rose, il s'était senti un peu moins seul dans sa peine et lui avait même dit : « À voir leur persévérance et leur effort à foncer vers l'avenir, mes élèves m'ont donné comme un petit élan de vie. »

Il n'était pas retourné une seule fois à Louiseville et au cimetière où reposait sa mère, personne n'avait songé à dépouiller la tombe des mauvaises herbes qui la recouvraient. Un jour prochain, il retournerait à Louiseville pour rendre visite aux Taillefer, car un joli petit berceau attendait impatiemment de bercer un joli petit cœur.

Chapitre 15

DORIS

SOUS LA DOUCE LUMIÈRE DE SEPTEMBRE, le paysage affichait déjà quelques couleurs orangées et les bois étaient plus silencieux alors que de nombreuses espèces d'oiseaux avaient pris leur envol vers des contrées plus clémentes. Malgré sa douleur, Anne-Marie commençait à reprendre pied dans la vie. À l'occasion, au travail, elle parvenait à esquisser un léger sourire. Elle avait même recommencé à visiter son jardin qui était devenu avec le temps un tapis entrelacé de plantes inutiles.

Aujourd'hui, vendredi, elle s'était enfin décidée à rendre visite à ses amis au presbytère Sainte-Trinité, surtout que madame Pauline devait être en congé.

— Venez-vous asseoir mon enfant, cela fait une éternité! Nous pensions, l'abbé et moi, que vous nous aviez oubliés, bon Dieu!

— Bien non mon père, même si je ne suis pas venue vous voir de l'été, je peux vous affirmer que j'ai beaucoup pensé à vous.

— Pourquoi vous n'êtes pas venue me voir pour m'en parler, mademoiselle Sirois? J'aurai été une bonne oreille pour vous?

— Vous êtes au courant?

— Eh oui ! Vous savez comme moi, nous avons une bonne messagère au presbytère.

— C'est madame Pauline qui vous a mis au courant.

— Oui, elle nous a seulement informés que monsieur Joli-coeur ne vous rendait plus visite dans le rang du Ruisseau depuis le mois de juillet. Je peux vous dire que cela lui cha-touille la langue de ne pas pouvoir en dire plus long à votre sujet.

— Oui, elle doit se poser bien des questions en effet.

— Que s'est-il passé ma fille ? Est-ce que vous vous êtes dis-putés tous les deux ?

— Non pas vraiment, monsieur le curé... On s'est tout simplement laissés à cause d'une incompatibilité irréconci-lable.

— Êtes-vous certaine de ce que vous me dites ? Vous avez des yeux de chien battu.

— Vous savez, monsieur le curé, un couple peut s'aimer, mais il peut être aussi souvent en désaccord.

— Vous n'auriez pas pu faire des compromis et essayer de vous rejoindre et corriger vos désaccords en y mettant un peu de bon vouloir ?

— Nous avons essayé, croyez-moi mon père, mais c'était sans issue et j'en suis bien désolée.

— Et cela était assez insupportable pour qu'il déménage à Verchères ?

— Oui, et ce sera plus facile pour moi avec...

— Le bébé qui s'en vient ?

— Vous êtes au courant pour le bébé aussi ?

— Je ne l'étais pas avant votre entrée au presbytère, mais maintenant je le sais. Depuis que vous êtes assise sur mon gros canapé brun, vous ne cessez pas de poser votre main sur votre ventre comme si vous vouliez le protéger.

— Qu'est-ce que je vais faire mon père ? Je l'aime tellement ce petit être-là !

— Vous allez tout simplement l'amener à terme pour que le jour venu je puisse l'accueillir dans mon église et le baptiser afin qu'il entre dans la famille de Dieu.

— Oh ! Mon père…

— J'espère que vous n'avez pas pensé vous faire avorter ?

— Jamais de la vie ! J'avais peur de votre réaction vu que cet enfant-là n'aura pas de père.

— Voyons ma fille, donner la vie est le plus bel acte d'amour qu'une femme ne peut pas faire sur la terre ! Mais, pourquoi dites-vous que cet enfant-là n'aura pas de père ? Vous ne l'avez pas dit à monsieur Jolicoeur ?

— Oui oui, il est au courant. C'est pour cela qu'il a déménagé à Verchères. Il aurait toujours été rendu chez moi tellement il était heureux d'apprendre la nouvelle !

— Bon. Au moins, il ne fera pas comme plusieurs autres qui se perdent dans le décor pour se sauver de leurs responsabilités envers leurs progénitures. Vous êtes chanceuse, il aurait pu disparaître au bout du monde sans ne plus jamais donner de nouvelles ! Des hommes sans cœur, mademoiselle Sirois, il y en a partout et personne ne peut les remettre dans le droit chemin, même pas le Seigneur !

Pour le service du thé, ce fut madame Pauline qui entra dans la pièce avec son air de « Je voudrais savoir ». Mais devant le curé Forcier, elle s'était gardé une petite gêne comme on dit, même si cette petite gêne lui titillait les cordes vocales.

— Bonjour madame Pauline, vous allez bien ?

— Oui mademoiselle Anne-Marie…

— Vous travaillez le vendredi maintenant ?

— Pas à l'accoutumé ! C'est parce qu'aujourd'hui, je remplace Rachèle, hum… je veux dire mademoiselle Marion. Elle est malade.

— Ce n'est pas grave, j'espère ?

— Mais non ma fille. Dans mon temps, quand arrivait vous savez quoi à tous les mois, je continuais ma besogne quand même. Aujourd'hui, les femmes, c'est juste des petites natures. Un petit mal de ventre et elles restent couchées toute la journée, cibo… câline !

— Voyons madame Tessier, il n'y a pas une femme qui a la même endurance que vous !

— Vous me ferez pas croire, monsieur le curé que…

— Madame Tessier !

— En tout cas, dans mon livre à moi…

— Bon… Vous n'étiez pas supposée de me faire une tarte au citron ?

— Oui oui… c'est ça que j'allais faire drette là. Puis asteure que je vous ai vu mademoiselle Sirois, j'espère bien que vous allez venir prendre un café un de ces jours ?

— Oui, madame Pauline, quand je vais passer devant chez vous, je vais vous faire une petite visite. Merci pour votre invitation.

— Ce n'est rien ma belle fille, en même temps on va pouvoir jaser de vos amours.

— Madame Tessier !

— Bon, je vais aller faire ma croûte de tarte, moi.

— Bonté ! Cette madame Tessier, excusez-moi avant que je vous le dise, c'est une vraie langue de vipère.

— Mais c'est quand même une bonne personne.

— Son pauvre mari Hubert, que Dieu ait son âme. Il est vraiment en train de gagner son paradis sur terre ce saint homme. Par chance qu'elle est une bonne travaillante et une bonne cuisinière, car cela ferait longtemps qu'elle aurait repris le chemin du rang du Ruisseau.

La rentrée des enfants à l'école Mère-Marie-Rose était imminente et Charles avait enfin réussi à introduire dans sa vie un peu de divertissement en guise de compensation aux préparatifs scolaires très exigeants. Il côtoyait à l'occasion sa bonne amie Doris, une jolie femme de trente-trois ans aux jolies prunelles ambrées et au visage entouré de cheveux noisette coupés courts. Cette dernière était éprise de Charles depuis le jour où il était entré dans la salle d'éducation physique où elle enseignait. Dès lors, les papillons ne cessaient d'ouvrir leurs ailes sur son cœur. Elle aspirait au jour où, le temps ayant fait son œuvre, Charles puisse enfin tourner la page sur son passé. Sinon, elle serait condamnée à l'aimer toute sa vie sans rien recevoir de lui en retour.

Ce midi, ils étaient tous les deux accoudés sur la grande table dans la salle des étudiants où l'écho paradoxalement conférait une sorte d'intimité à leur échange. Oui, il lui parlait encore d'Anne-Marie.

Avec une grande douceur, Doris l'écoutait et chaque mot était une aiguille qui lui traversait le cœur. Il serait si simple de griffonner ce roman d'amour sur le grand tableau noir et, d'un geste, l'effacer à tout jamais.

— Mais pourquoi n'essaies-tu pas de te réconcilier avec elle, Charles ? Il doit bien exister pour toi un moyen de reconquérir son cœur ?

— C'est elle qui ne veut plus de moi, Doris... même en comptant les étoiles dans le ciel, il n'y en aura jamais assez pour égaler l'amour que j'ai pour elle.

— Mais, est-ce que tu m'as tout dit au sujet de vos désaccords ?

— Bien oui, je t'ai dit qu'on est deux personnes complètement différentes, sans aucune affinité.

— Mais pourquoi si différentes ? On dit même que dans un couple, les qualités font oublier les défauts et que les contraires s'attirent !

— Ce n'est pas l'opinion d'Anne-Marie malheureusement. En tout cas, pas pour l'instant.

— Et le bébé ? Il ne peut pas arriver dans ce monde sans que son père ne soit présent !

— Je sais. Au moins, elle ne m'a pas enlevé mon droit de paternité. Pauvre petit être, s'il savait combien je voudrais être là pour lui tous les jours.

— Je te comprends, Charles. Quand va-t-il naître au juste ?

— Au mois de mars.

— Bon, en attendant son arrivée, il va falloir que tu changes ta façon de vivre. Car là, tu ne fais que respirer. Il faut que tu trouves un sens à ta vie et que tu ailles vers l'avant pour que ton bébé arrive dans la joie en sachant que son père a un moral équilibré, tu comprends ?

— Oui. Autrement dit, il faut que je mette une croix sur la mère pour me concentrer sur l'avenir de mon enfant.

— Voilà, tu as tout compris. Regarde, en fin de semaine, je vais visiter mes parents à Magog. Tu pourrais venir avec moi ? On partirait samedi matin pour revenir dimanche dans la soirée.

— Mais, où allons-nous dormir ?

— Tu es drôle Charles Jolicoeur... Je ne te sauterai pas dessus, ne t'inquiète pas. Il y a cinq chambres chez mes parents. Dis donc oui, cela va te changer les idées ! En plus, c'est le temps des pommes, on va pouvoir aider mon vieux père dans son verger.

— Ouin, je ne sais pas trop Doris. Et si Anne-Marie a besoin de moi pendant que je serai parti si loin ?

— Pourquoi t'appellerait-elle, dis-moi ?

— On ne sait jamais, une urgence.

— Arrête de t'en faire Charles, s'il y a quelque chose d'urgent, je suis certaine qu'elle saura se débrouiller, non ?

— Nous partons à quelle heure samedi ?

— Bon. Enfin, tu vas faire un petit pas dans la vie ! Si tu veux, on va partir vers neuf heures pour ne pas passer à côté de la bonne cuisine de ma mère. Je vais lui téléphoner après le souper pour la prévenir de notre visite et je vais lui demander si elle peut nous faire sa bonne sauce à spaghetti.

— Hum... Ça sent déjà bon.

— Et avec les pommes qu'on va cueillir, elle va nous faire de bonnes tartes ou peut-être une croustade.

— Sais-tu Doris, j'ai hâte à samedi.

Chapitre 16

MAGOG

DANS LEUR MODESTE MAISON sur le chemin Georgeville dans le canton de Magog, Rosanna et Arthur Labonté attendaient impatiemment leur fille adorée. Rosanna, une grande femme de soixante et un ans était la copie conforme de sa fille unique, la sagesse en plus. En excluant les quelques rides qui les séparaient, on aurait pu les voir comme deux sœurs. À ses côtés, droit comme un manche, se tenait un Arthur souriant. À soixante-cinq ans, il n'avait encore aucun cheveu gris dans son épaisse tignasse noire. Il tirait sans arrêt sur ses bretelles en arpentant de long en large la grande véranda attenante à la maison. À leur arrivée, après avoir étreint sa fille à en lui couper le souffle et avoir donné une bonne poignée de main à Charles, il les invita à s'installer sur un banc de jardin Victoria entouré des quelques plantes toujours en fleur. Le timide soleil de septembre les réchauffait et la joie était au rendez-vous. Sirotant un jus d'oranges fraîchement pressées, Arthur, sans se préoccuper des protestations de sa fille, défila toute l'enfance de celle-ci en insistant sur des anecdotes qui aujourd'hui le faisaient rire aux larmes.

— Ce n'est pas vrai Doris ?

— Bien oui… Papa, tu vas t'arrêter ? Je suis rouge comme une tomate !

— Tu es encore plus belle, ma fille. Maudit que nous avons bien travaillé, hein ma femme ?

— Oui, mon Arthur ! Doris, c'est notre rayon de soleil ! Mais c'est bien dommage qu'elle reste aussi loin.

— Au moins, vous êtes encore de ce monde. Doris est bien chanceuse de vous avoir encore dans sa vie.

— Bien oui, elle m'a dit hier quand elle m'a appelée que vous veniez de Louiseville et que vos parents étaient décédés. Vous n'avez pas de frères ou de sœurs ?

— Aux dernières nouvelles, j'ai une sœur qui resterait probablement à Boucherville, mais que je n'ai jamais eu la chance de retrouver.

— Pauvre vous, avec la tristesse que je vois dans vos yeux, elle doit vous manquer beaucoup ?

— Vous savez, madame Labonté, c'est probablement mieux ainsi, si je l'avais retrouvée, peut-être que j'aurais été déçu aujourd'hui.

— Tant qu'à ça, vous avez bien raison. Des fois, la vie c'est drôle, on pense que notre destin est tout tracé mais voilà qu'elle fait prendre une tout autre voie.

— Puis toi ! Tu ne m'as jamais parlé que tu étais un petit diable quand tu étais jeune ? Il ne faut pas se fier aux apparences à ce que je vois ? Tu as vraiment arraché la crinière de ton cheval ?

— Oui, mais ce n'était pas vraiment de ma faute, Charles.

Quand je suis montée dessus, je n'étais déjà pas en équilibre et quand mon cousin Mathieu lui a crié de se mettre au galop, j'ai glissé et lorsque je suis tombée, je le tenais par sa longue crinière brune. C'est à ce moment que je me suis retrouvée par terre avec assez de cheveux dans la main pour m'en faire une perruque.

— Pauvre cheval !

— Pauvre Doris, tu veux dire ! J'ai été une semaine à m'asseoir sur un coussin tellement j'avais mal aux fesses !

— Pauvre toi ! Vous l'avez encore votre cheval, monsieur Labonté ?

— Oh que non ! C'était une vieille picouille de vingt-huit ans qui n'en faisait qu'à sa tête. Le jour où elle a été trop vieille pour être utile et bien j'ai...

— Ne dis pas ça, tu l'aimais Martha ! Elle te faisait peut-être enrager parfois, mais tu l'aimais.

— Qu'est-ce qui te fait dire ça, ma fille ?

— C'est simple, quand tu as dit à maman qu'il fallait qu'elle s'en aille, j'étais dans ma chambre et la porte était entrouverte. J'ai entendu maman dire : « Pauvre Arthur, je ne pensais pas que tu l'aimais autant, tu es en train d'inonder mon épaule ! »

— Eh bien ! Viens-tu avec moi, Charles ? Je vais te faire visiter les alentours. Je n'ai plus de cheval, mais tu vas voir que j'ai des maudites belles poules. Puis as-tu déjà vu ça des moutons blancs comme la neige toi ?

— Blanc blanc blanc ? Non, dans ma tête, les moutons sont tous de la même couleur. Ils sont tous beiges et ils ont tous la même face.

— Bon bien, c'est là que tu te trompes mon garçon. Viens, je vais te présenter Cléo, tu vas voir, c'est une belle grosse boule de ouate avec quatre belles pattes ben sexy.

Avec son cœur de mère grand comme l'océan, Rosanna avait bien deviné que sa fille était éprise de ce beau grand brun et, au fond de ses pensées, une inquiétude s'était installée.

— Tu l'aimes Charles, ma fille ?

— Oh oui, maman. Malheureusement pour lui, ce n'est pas réciproque. Je sais qu'il m'aime beaucoup et qu'il trouve en moi une grande amie, mais pour l'amour vrai, j'ai fait une croix.

— Tu sais, j'aimerais te voir heureuse et vivre un grand bonheur avec lui. C'est un homme charmant, mais pourquoi tu n'arrêtes pas cela tout de suite ? Sans le savoir, tu te gruges le cœur à petites bouchées, et cela me fait beaucoup de peine.

— Il est trop tard maman. Même si je sais que je n'ai aucun avenir auprès de lui, j'aurai au moins eu le bonheur de faire un bout de chemin avec lui. Ce sera aussi moins décevant pour moi quand il va rencontrer la femme de sa vie. Quand on va se laisser, je ne pourrai pas dire que je n'aurai pas vu venir ce moment-là, car je sais qu'il ne m'aimera jamais d'amour.

— Oui, je te comprends ma fille, mais tu vas te faire mal, crois-moi.

— Je sais maman, mais il est trop tard, je suis collée à sa vie et quand viendra le temps, malgré moi, je prendrai mes distances, même si ce n'est pas cela que je souhaite.

Dans la vaste cuisine d'antan, où l'horloge grand-père venait de sonner six coups, une table fut dressée simplement et le souper, agréablement accompagné d'une seconde bouteille de Chianti, se prolongea jusqu'à dix heures.

Sur le coup de onze heures, Rosanna avait dirigé Charles vers la chambre du haut-côté, comme elle la surnommait. Au bout du couloir, se trouvait la chambre d'enfance de Doris où tout était demeuré intact. Les Barbie et le gros toutou, pratiquement dénudé de sa peluche dorée, patientaient en attendant le retour de leur amie d'enfance.

Après que Rosanna fut descendue rejoindre son Arthur, les deux amis regardèrent les photos sur les murs accrochées là depuis une trentaine d'années et qui présentaient l'image d'une famille unie dans toutes les circonstances de la vie. Le sommeil ne les ayant pas gagnés, le clair de lune aidant, ils se retrouvèrent tous les deux sous un ciel étoilé à s'embrasser tendrement.

Doris s'était donnée entièrement à Charles et sur le lit de paille fraîchement coupée où celui-ci l'avait doucement allongée, elle lui fit l'aveu qu'elle l'aimait depuis le jour où elle l'avait rencontré à l'école Mère-Marie-Rose. Elle n'espérait pas le même aveu de sa part. Elle savait bien que cela ne se produirait pas.

— Tu sais la place que tu occupes dans ma vie, mais…

— Je sais Charles que je passerai toujours en deuxième, mais je t'aime tellement que je suis prête à accepter ce sort. Nous allons simplement prendre le temps qui nous est alloué, et après, Dieu seul sait ce qui va nous arriver.

— Mais tu es une femme si douce et si belle ! Pour rien au monde, je ne voudrais te faire du mal. Et là, je me sens coupable, car c'est cela que je suis en train de te faire.

— Je suis prête à vivre cette situation, Charles. Plus tard, on verra. Pour l'instant, je veux savourer les heures, les jours, peut-être les mois qui nous sont offerts et personne ne va m'enlever ce bonheur-là.

Le lendemain, en quittant la maison, Rosanna avait embrassé sa fille, et dans ses yeux, Doris y avait lu un sentiment contradictoire : un apaisement mêlé d'une grande appréhension.

— Ne t'en fais pas ma douce maman, je sais que tu ne dormais pas quand je suis sortie avec Charles hier soir. Je l'aime et pense juste au bonheur présent qui passe dans ma vie. Ne pense pas au futur, tu aurais trop de peine. Mais tu n'auras pas besoin de me consoler, car depuis que Charles est entré dans ma vie, je sais qu'un jour il en ressortira. Ne t'en fais pas maman !

Chapitre 17

MÉLANIE

Décembre

LES DERNIÈRES FEUILLES ROUGEÂTRES essayaient de résister à la première neige, mais celle-ci, entêtée, les avait emprisonnées sous sa pelisse blanche. Anne-Marie, maintenant à cinq mois de grossesse, affichait une santé appréciable et Charles n'avait pas oublié une seule fois de lui téléphoner comme prévu à tous les débuts de mois. Aujourd'hui, c'était par sa ténacité qu'il avait réussi à la visiter, ce qu'elle avait refusé depuis le jour où ils s'étaient laissés. Avec le temps, elle avait réussi à remiser sa peine pour laisser tout l'espace voulu au petit être qui préparait son entrée dans la vie.

— Bonjour Charles, entre.

— Tu as l'air bien ?

— Oui ça va, est-ce que tu veux prendre un café, un thé, une liqueur, une bière ?

— Je prendrais un café, si tu veux bien en prendre un avec moi.

— Je ne prends plus de café depuis que je suis enceinte, mais je vais t'accompagner avec un verre de lait si tu veux. Comment va ton travail ?

— Ça va assez bien, j'ai des élèves très disciplinés cette année à part deux qui ne sont pas de tout repos.

— Comment ça ?

— Je pensais que... Viens là Grison, on dirait que tu te souviens de moi mon vieux ! Oui, c'est un peu drôle à dire, mais les plus turbulents de mes élèves, ce sont deux filles. Je pense qu'elles passent plus de temps dans le bureau du directeur que dans ma classe, tornon. Une petite Beaulac et l'autre, une petite Joyal.

— Marie-Ève Joyal ?

— Oui, la fille des Joyal que tu connais, ceux qui ont acheté ma maison. Tu la connais bien, Marie-Ève ?

— Bien oui, cela me surprend vraiment d'elle, c'est un ange ! Elle vient souvent me voir quand je travaille dans mon jardin. Elle m'a même avoué qu'elle voulait devenir paysagiste plus tard. À la fin de septembre, elle est venue avec moi à la pépinière de Verchères pour m'aider à choisir tous mes engrais pour pailler mon jardin et mes rocailles.

— Ah, pourtant, à l'école, elle ne donne pas cette impression-là. Elle ne pense qu'à déranger et à faire des mauvais coups. Tu as l'air vraiment bien, Anne-Marie.

— Oui, comme tu vois, j'ai pris un peu de poids ! Et le bébé commence à se faire remarquer aussi. Je n'entre plus dans mes pantalons, sainte mère ! Il a fallu que je renouvelle presque toute ma garde-robe. Savais-tu que Solange va avoir un bébé presque en même temps que moi ?

— Non ! Elle doit être heureuse !

— Mets-en ! Au moins, ce bébé-là va avoir la joie d'avoir toujours son père auprès de lui.

— Anne-Marie ! Pourquoi me fais-tu mal comme ça ? Je voulais rester avec toi, c'est toi qui m'as repoussé.

— Excuse-moi Charles. Je suis désolée vraiment ! Je n'aurais pas dû.

— C'est correct... Comment te débrouilles-tu depuis que l'hiver est commencé ? J'espère que tu ne déneiges pas ta galerie et ton entrée dans l'état où tu es ?

— Ne t'inquiète pas pour ça ! Pour rien au monde, je ne mettrais la vie de mon... de notre enfant en danger. Il y a Marie-Ève qui vient enlever la neige et quand il y a une bonne bordée, c'est Bruno qui s'en occupe.

— Bruno ?

— Bruno Hamelin, c'est le fils de Midas Hamelin, c'est de sa femme que tu avais acheté ta maison ici dans le rang du Ruisseau.

— Ah bon ! Il ne restait pas à Boucherville, lui ?

— Oui avant, mais à la fin de ses cours, il a été engagé à Contrecœur dans une petite clinique sur la rue Marie-Victorin. Il habite maintenant près du presbytère.

— Il est marié ?

— Non, pas encore.

— Y a une blonde ?

— Voyons Charles ! Pourquoi toutes ces questions ?

— Pardon Anne-Marie, je m'inquiète pour toi.

— Il ne faut pas. Comme tu vois, j'ai remis mes pendules à l'heure et j'avance dans le temps présent. Même que j'avais pensé t'inviter pour le réveillon de Noël. Je sais que tu es seul, et on pourrait souper ensemble. Mais ce serait à condition que tu ne prennes pas cela comme une réconciliation.

— Et ton amie Solange, elle sera là ?

— Solange va être dans la famille de Mario à Saint-Laurent du Fleuve pour le mariage de sa sœur Martine. Ils ne vont revenir que le 26.

— Je te remercie de l'invitation Anne-Marie, mais je vais être pris ailleurs le 24 et le 25.

— Ah ! Et tu seras à quel endroit ?

— Je vais être à Magog.

— Ah, est-ce qu'on aurait d'autres parentés que je ne connaîtrais pas ?

— Non non… Je vais aller fêter Noël chez les parents de Doris. Tu sais, elle est professeure d'éducation physique à la même école que moi ?

— Ah ! Et cela fait longtemps que vous vous voyez ? Je veux dire, vous sortez ensemble ?

— Depuis la fin de juillet à peu près.

— Que je suis idiote !

— Pourquoi dis-tu ça ?

— J'aurais dû me douter que tu ne passerais pas ta vie tout seul sans femme. Ce n'est pas parce que j'ai décidé moi, Anne-Marie Sirois, de rester toute seule avec ma grosse bedaine que tu vas le rester aussi.

— Voyons mon coeu… Anne-Marie, si tu avais voulu me garder dans ta vie, je serais encore à tes côtés, et tu le sais bien ça.

— C'est une revanche ?

— Mais non ! C'est seulement les circonstances de la vie, voyons !

— Tu l'aimes ?

— Je suis bien avec elle.

— Et, cela fait longtemps que vous couchez ensemble ?

— Anne-Marie, pourquoi me demander cela ?

— Pour rien Charles. Je suis désolée, je n'ai pas à me mêler de ta vie privée. Excuse-moi, je devrais être heureuse de ce qui t'arrive. Je dois te considérer comme mon frère, même si je n'ai jamais cessé de t'aimer.

— Je t'aime aussi de tout mon cœur, Anne-Marie.

— Ne dis pas cela, Charles ! Moi, je n'aurais jamais été capable de coucher avec un autre homme que toi ! Je ne sais pas comment tu as pu, mais cela doit être parce que c'est moi qui ne suis pas correcte.

— C'est parce que tu es enceinte, peut-être que dans quelques mois ou quelques années d'ici tu vas entreprendre une nouvelle vie avec un autre homme.

— Regarde Charles, la journée où l'on a fait l'amour ici même, tu t'en souviens, il pleuvait des clous ?

— Comment veux-tu que je ne me souvienne pas de ce moment merveilleux, ma douce Anne-Marie.

— Bien, c'est ce soir-là que je m'étais sentie femme jusqu'au bout des doigts et qu'enfin j'avais pu enlever de mes épaules ce maudit surnom de vieille laide que mon père m'avait donné. Pour la première fois de ma vie, j'étais une femme à part entière.

— Ce n'était pas ton père, Anne-Marie.

— Et Doris, elle est jolie ?

— Là, tu agis comme une enfant... Oui, elle est belle. Mais à mes yeux, c'est toi qui es la plus belle !

— Comment peux-tu aimer une autre femme quand tu dis que je suis la seule femme qui aura compté dans ta vie ? Tu n'es pas juste envers cette femme non plus, tu...

— Elle sait tout cela, Anne-Marie. Elle connaît ton existence.

— Et cela ne la dérange pas de savoir que tu m'aimes et de passer en deuxième ?

— Non, car elle comprend la peine que j'ai eue et qui m'habite encore.

— Tu ne m'as pas répondu tout à l'heure, Charles. Tu l'aimes ?

— Oui, je l'aime. Mais je t'aime en premier, et personne ne m'enlèvera ce droit. J'ai le droit de t'aimer, même si tu ne veux plus de moi.

— Que la vie est injuste ! Pourquoi Dieu nous a éveillés à ce bonheur si ce n'est que pour nous le reprendre après ?

— Je ne le sais pas Anne-Marie, et je ne le saurai jamais. Est-ce que je peux te faire un petit présent avant de partir ?

— Cela ne serait pas correct de ta part, Charles. Ta vie est avec Doris, c'est à elle que tu dois faire des cadeaux.

— Disons que c'est un cadeau pour notre bébé.

— C'est quoi ?

— Attends, je vais aller le chercher. Il est dans ma voiture.

Quelques instants plus tard, Charles franchissait le seuil de la maison muni d'un joli berceau blanc, le berceau ayant bercé leurs premiers pas dans la vie. Quand Anne-Marie avait caressé de sa main tremblante la petite douillette couleur de blé, pour un instant, malgré elle, c'est comme si Marie-Anne lui avait fait don de sa vie.

Refusant toute invitation de ses voisins et même celle du curé Forcier pour la fête de Noël, Anne-Marie avait accepté de sortir du rang du Ruisseau seulement que pour se rendre chez Bruno. La nuit sainte fut ponctuée de confidences sincères qui, par le fait même, avaient créé une profonde amitié entre Anne-Marie et Bruno. Ce dernier lui avait confié son homosexualité et, sans aucune surprise, celle-ci l'assura que rien ne pourrait briser le sentiment d'attachement qu'ils éprouvaient l'un pour l'autre.

12 mars.

Anne-Marie donna la vie à une jolie petite fille du nom de Mélanie. La petite princesse de sept livres et six onces venait de faire un premier clin d'œil à la vie. Ce jour-là, Solange, sa marraine en fut tout émerveillée. Charles, papa heureux et ému, ne cessait de caresser la petite tête blonde en la recouvrant de larmes et de baisers.

Pour une première naissance, tout s'était bien passé. Les premières contractions avaient débuté à deux heures dans l'après-midi et à neuf heures, Bruno l'avait accompagnée à l'hôpital Hôtel-Dieu de Sorel. Et de là, le message avait été fait à Charles et à Solange. Et merci mon Dieu, à la suite d'un examen médical complet, le docteur Gadbois avait rassuré les parents que Mélanie était en parfaite santé.

Solange avait enlacé son amie en lui murmurant que si sa petite fille était en santé, c'était grâce à tout l'amour que sa mère lui avait porté tout au long de sa grossesse.

C'était dans la soirée, quand Charles était retourné rendre visite à Anne-Marie, à la suite d'une discussion posée, qu'ils décidèrent d'un commun accord que leur fille porterait le nom de Sirois et que lors de son baptême, le nom du père serait apposé sur le document.

Le cinquième jour du mois d'avril, Solange donna à son tour naissance à un garçon qu'elle nomma Benjamin. Mario lui fit la grande demande et elle lui dit oui pour le 23 décembre.

Chapitre 18

LA CANICULE

ANNE-MARIE REPRIT SON TRAVAIL à la mi-mai et madame Joyal, qui lui avait offert ses services, s'occupait de Mélanie, à la grande joie de Marie-Ève. Chaque vendredi, Charles se faisait une joie de prendre sa petite puce avec lui pour le week-end.

Pour Solange, c'était sa belle-sœur Martine qui garderait Benjamin dès son retour au travail qui était prévu pour le mois de juillet. Tout le Québec ne parlait que de la cérémonie d'ouverture des Jeux olympiques qui se dérouleraient dans la grande ville de Montréal le 17 juillet en présence de la reine Elisabeth ll.

Quatre-vingt-douze nations prenaient part à cent quatre-vint-dix-huit compétitions sportives au nouveau stade olympique, sans oublier toutes les compétitions qui se dérouleraient au vélodrome, à l'aréna Maurice Richard, au bassin olympique de l'île Notre-Dame, au Forum de Montréal, ainsi qu'à l'Université de Laval. Plusieurs autres auraient lieu à Joliette, à Kingston, à Sherbrooke, à Toronto et à Ottawa.

L'année 1976 serait une année marquante dans l'histoire du Québec et Anne-Marie, Bruno, Solange et Mario s'étaient bien promis de se réserver une journée au mois de juillet pour assister aux compétitions et admirer l'œuvre colossale accomplie par le maire Jean Drapeau. En attendant cette journée tant espérée, les terres et les jardins ne devaient pas être laissés à l'abandon surtout que la canicule asséchait tout sur son passage. Une température de quatre-vingt-dix degrés Fahrenheit s'était jointe à l'humidité et la végétation étouffait sous une pesanteur insupportable.

— Comment fais-tu pour travailler dans ton jardin par une chaleur pareille, toi?

— Hey Solange! Viens t'asseoir, on va prendre une bonne limonade. Regarde, installe Benjamin en dessous du parasol, à côté de Mélanie. Sainte mère, t'es-tu fait donner une permanente?

— Bien non, c'est naturel. Quand c'est humide, je frise comme un mouton, seigneur de Dieu! Pourquoi n'attends-tu pas une journée plus fraîche pour nettoyer tes plates-bandes, ma vieille?

— Bien, regarde mes fleurs, les as-tu vues?

— Où ça?

— C'est ce que je disais, elles sont ensevelies sous les mauvaises herbes, et si je ne veux pas les voir disparaître à tout jamais, bien, il faut que je vienne à leur secours. As-tu commencé à faire tes réservations pour ton mariage?

— Bien là, il n'y a rien qui presse, c'est juste le 23 décembre!

— Voyons Solange, quand je travaillais au presbytère, les futurs mariés réservaient leur salle et ils publiaient leurs bans à l'église six mois à l'avance! Tu es en retard!

— Vraiment?

— Eh oui, il ne te reste que cinq mois. Si tu ne commences pas ça aujourd'hui, tu vas te cogner le nez à la porte, ma chère.

— Tu as raison, c'est aujourd'hui qu'on va faire ça! Veux-tu m'aider? As-tu le temps?

— Pour toi, j'aurai toujours tout mon temps. On va s'installer en avant sur la galerie et on va faire ta liste d'invités aujourd'hui. Toi, tu vas appeler demain pour ta salle et ton buffet.

Un buffet chaud ou froid?

— Ouf! Je ne sais pas encore.

— Ouin, nous ne sommes pas sorties du bois, ma vieille!

Sous la grande véranda, installés sur les planches gonflées d'humidité, les deux chérubins venaient de glisser dans les bras de Morphée après avoir ingurgité un biberon de lait tiède. Benjamin, presque nu sur sa petite douillette bleue, et Mélanie, vêtue de sa minirobe de coton rosée, dormaient paisiblement. Seuls les saint-joseph violacés survivaient dans les jardinières blanches qu'Anne-Marie abreuvait continuellement. Il faisait si chaud que la pelouse n'avait pas été tondue, et elle commençait à jaunir. Les feuillus s'étiolaient, et le saule, plus larmoyant encore que d'ordinaire, semblait implorer le ciel de lui consentir quelques gouttes afin de rester en vie.

Ce soir, si le ciel pouvait enfin s'assombrir, mademoiselle Pétronie serait ravie d'accueillir son amie dans son grenier pour contempler la pluie.

— As-tu perdu un pain de ta fournée, Solange? Tu es toute triste, câline.

— Non non, je me demande si je fais une bonne affaire en me remariant. Tout d'un coup que je rate mon mariage comme le premier ?

— Voyons Solange, Mario ce n'est pas Jean-Claude !

— Oui, je sais. Mais Jean-Claude ne buvait pas au début de notre mariage, lui non plus !

— Regarde, prends donc le bonheur qui t'est offert avec Mario puis Benjamin. Si tout le monde connaissait le futur, ce ne serait pas plus drôle. Une vie c'est fait pour surmonter des épreuves, mais elle peut être parfois bien agréable, tu ne penses pas ?

— Tu as toujours raison toi.

— Eh oui ! Regarde moi. Regarde ma petite puce. Penses-tu qu'elle ne me rend pas la vie agréable, cette enfant-là ?

— Une chance qu'elle est arrivée dans ta vie. Sinon, tu serais encore en train de te morfondre pour ton Charles.

— Probablement !

— Tu l'aimes encore, hein ?

— Jamais je ne cesserai de l'aimer Solange. Et personne ne le remplacera.

— Je sais Anne-Marie, mais un jour…

— Chut, je t'ai dit que personne ne le remplacera. Et puis, ton buffet ?

— Je pense que je vais faire faire un buffet froid. Même que madame Pauline m'a offert de me le faire, elle me chargerait seulement trois piastres et vingt-cinq du couvert.

— En faisant ton buffet, elle sait bien que tu vas l'inviter à tes noces avec son Hubert. C'est bien elle ça.

— Je les aurais invités de toute façon. Tu sais, ça nous prend quelqu'un pour aller dire à tout le monde de la paroisse comment nous étions beaux moi et Mario !

— Oh ! Tu n'es pas fine de dire cela de madame Pauline, Solange, même si on sait toutes les deux que c'est ça qui va se passer après les noces. Là, on va faire ta liste d'invités si tu veux pour que tu puisses commander le nombre de couverts.

— D'accord, il y aura toi, Bruno et Mélanie…

— Arrête donc, toi ! Tu m'invites à tes noces ?

— Nounoune ! Arrête de m'interrompre, on ne finira jamais, dieu du ciel ! Bon, Martine et Éric, les parents de Mario, monsieur et madame Martin, ma marraine et mon parrain…

— Qui sont tes parrains, Solange ?

— C'est Victorine et Antonin Rousseau. Ils restent à Sainte-Anne-de-Sorel.

— Oh, des gros riches !

— Ils sont assez en moyens, oui. Mais ils sont gratteux, ça n'a pas de bon sens ! Je suis à peu près certaine que pour mon cadeau de noces, ils vont me donner un bibelot quelconque qu'ils ont déjà dans leur maison.

— Voyons donc ! Tu me fais marcher ?

— Non non, quand j'ai eu Benjamin, ma marraine m'a envoyé juste une carte, et dedans elle y avait écrit : « J'aurais voulu t'envoyer le cadeau pour le petit, mais c'était trop gros. Il aurait fallu que je prenne deux timbres. » Je vais te l'apporter quand je vais aller te voir à Contrecoeur.

— En tout cas, si c'était un pyjama qu'elle lui avait acheté, il y a des chances qu'il ne lui fasse plus à ce pauvre petit cœur !

— Dans ma tête, elle n'a jamais rien acheté et quand elle va venir aux noces au mois de décembre, elle va me dire qu'elle l'a encore oublié chez elle à Sainte-Anne.

— En tout cas, j'ai hâte de les voir ces deux-là, moi. Je me suis déjà faite une image d'eux autres dans ma tête.

— Et tu les imagines comment ?

— Bien, elle, une grosse femme marchant à petits pas comme un pingouin et lui, un grand maigre pas de cheveux avec un habit brun sentant les boules à mites. Pourquoi ris-tu, suis-je à côté de la traque ?

— Non non, c'est exactement ça, sauf que c'est le contraire. C'est mon oncle Antonin qui est gros et ma tante Victorine qui est une grande maigre et qui porte toujours du linge trop grand pour elle.

— Et elle n'a pas de cheveux ?

— Elle a des cheveux, mais ce n'est pas riche comme coiffure, on dirait qu'elle a un tapis de mouton de perse sur la tête.

— Arrête, je suis crampée !

— Attends de la voir ! Tu m'en donneras des nouvelles.

— Et après ?

— Bon, le frère de mon père, Jalbert, avec sa femme Évangéline, madame Pauline et son mari Hubert, les Joyal qui sont devenus de bons voisins, le curé Forcier, l'abbé Charland et le bedeau Carignan avec sa femme, et…

— Oui ?

— Je pensais inviter Charles, mais seulement si tu es d'accord.

— Tu l'inviterais avec Doris ?

— Bien, je ne sais pas, cela dépend de toi ?

— Ouf !

— Regarde Anne-Marie, on va laisser faire, on ne peut pas l'inviter et mettre Doris de côté, ce serait un affront à Charles.

— Écoute Solange, invite-le avec Doris. Un jour ou l'autre, je devrai me faire à l'idée de les voir ensemble, même si je sais que mon cœur va en prendre un sacré coup. Ouf ! ça fait du bien de voir le soleil se cacher, ça va tomber dans pas long.

— Oui, il faudrait bien que j'y aille, moi.

— Et pour la salle et l'église ?

— Je vais aller au presbytère demain matin avec Mario pour les bans à l'église. Pour la salle, je vais réserver une partie du restaurant Gaby ici à Contrecœur. Vu que c'est à cet endroit qu'on s'est rencontrés, je pense que ce serait bien romantique. Qu'en penses-tu ?

— J'y avais pensé moi aussi, Solange... Et toi, tu m'avais souhaité un orage quand Charles est venu souper chez moi la première fois. Moi, je ne te souhaiterai pas une tempête de neige sur le perron de l'église, mais juste des gros flocons blancs. Allez, viens dans la maison avec Benjamin, je vous garde à souper. Tu n'auras qu'à appeler Mario pour lui dire de venir nous rejoindre quand il va rentrer de son travail.

À 9 heures, le ciel se fit menaçant et Anne-Marie s'était installée dans son grenier tout près de mademoiselle

Pétronie et de Grison qui était bien heureux d'avoir été convié lui aussi.

Dans ce grenier, rien n'avait été déplacé, sauf le coup de chiffon qu'Anne-Marie avait passé sur le rebord de la lucarne. Pendant que le firmament se déchaînait et que la pluie tambourinait sur la vieille toiture ondulée, Anne-Marie ayant posé son regard sur les lettres jaunâtres et poussiéreuses, il lui prit une envie soudaine de les parcourir. D'un léger toucher, elle les effleura, et du petit sentier dégagé où elle y avait fait glisser ses doigts, une écriture soignée lui était apparue.

Madame Rosalie Demers
1280, rang du Ruisseau,
Contrecoeur Québec

Non, elle ne pouvait pas se résoudre à violer l'intimité de cette femme qui avait sans doute dissimulé ses lettres dans le grenier pour protéger à tout jamais l'homme qui aurait pu être chaviré en les lisant.

Chapitre 19

LES JEUX OLYMPIQUES

LES POUSSETTES DES ENFANTS avaient été déposées dans le coffre arrière de la Buick de Mario et les passagers étaient confortablement installés pour entreprendre la route vers Montréal. À la radio, on attendait l'animateur :

Il est neuf heures du matin, le ciel est bleu et il fait présentement un beau quatre-vingts degrés, très supportable étant donné l'absence d'humidité.

Ils ont d'abord déambulé sur l'île Notre-Dame. Par la suite, ils ont assisté aux performances de la petite Roumaine, Nadia Comaneci. Celle-ci avait remporté les médailles d'or avec une note parfaite de dix et le spectacle somptueux qu'elle avait donné aux barres asymétriques s'était terminé par un saut périlleux avant avec demi-tour qui lui avait valu la note maximale. Quelle chance que de voir, du haut des gradins, un si beau spectacle. Ils ont aussi eu le privilège de rencontrer les deux jeunes athlètes canadiens ayant porté la flamme olympique, Sandra Henderson et Stéphane Préfontaine. Mélanie et Benjamin avaient tellement été des enfants modèles que, après s'être restaurés, ils se sont tous rendus au parc Jarry voir les Expos de Montréal disputer un match contre les Cubs de Chicago avant qu'ils ne déménagent comme prévu au stade olympique l'année suivante.

Sur le chemin du retour, une discussion animée les avait tenus éveillés malgré la fatigue accumulée. Tout avait été intéressant, que ce soit l'athlétisme, l'haltérophilie, le canoë-kayak au bassin olympique ou bien le cyclisme et le judo au vélodrome. Mais, on n'était pas d'accord au sujet du lieu des jeux olympiques d'été 1972.

Mario avait affirmé qu'ils avaient eu lieu à Mexico, et Bruno s'était entêté à répliquer en lui disant qu'ils s'étaient déroulés à Tokyo. Mais personne ne l'avait emporté puisque Solange les informa qu'ils avaient eu lieu à Munich.

— Comment peux-tu être certaine de ce que tu affirmes, mon petit colibri ?

— Mon savoir littéraire, mon beau Mario.

— Regardez, les hommes ! Elle a un livret sur ses genoux où toutes les dates des jeux olympiques sont écrites ! Paris, 1900, Athènes, 1906, Paris, 1924, Melbourne, 1956, Rome, 1960… elle nous a bien fait marcher !

— Tu aurais dû me laisser continuer, Anne-Marie. J'aurais même pu leur donner les dates des jeux olympiques d'hiver aussi ! Comme Osto en 52, Innsbruck en 64, Grenoble en 68, Sapporo en 72… que je me suis sentie cultivée, moi !

— Bien oui ! Une chance qu'on ne t'a pas demandé le nom des premiers ministres dans ces années-là. Pas de papier, tu aurais frappé un nœud, ma vieille ?

— Ma chère Anne-Marie, tu peux me poser les questions que tu veux sur la politique !

— D'accord, qui était le premier ministre du Québec en 1966 ?

— Bien c'est facile ! C'était Daniel Johnson, il est même mort dans ses fonctions en 68 !

— Eh bien ! Je savais qu'il était mort durant son mandat, mais pour me souvenir de l'année, je ne l'aurais jamais trouvée !

— En as-tu une autre facile comme ça ?

— Attends… Oui, c'était qui le président des États-Unis avant Gerald Ford ?

— Hey là ce n'est pas juste, tu sors du Québec !

— Tu ne le sais pas ?

— Bien oui, c'était Lyndon B. Johnson, et avant lui c'était…

— Eh bien ! Tu es bonne, ma Solange, tu es bonne.

— Tu viens de manger ta ronde, Anne-Marie ?

— Bien oui, Mario !

La semaine suivante, avec un début d'août très confortable, Charles s'était invité chez Anne-Marie sans s'annoncer. Elle était occupée au nettoyage des fenêtres de la maison lorsqu'il lui adressa un chaleureux bonjour matinal. Elle portait une petite jaquette imprimée de pommes rouges et ses cheveux acajou étaient remontés en chignon, laissant flotter au vent quelques mèches cuivrées.

— Qu'est-ce que tu fais ici à cette heure-là, Charles ?

— Je me demandais si tu ne me laisserais pas prendre la petite avec moi pour la journée ? Je sais qu'on est juste mardi, mais cela te donnerait une journée pour te reposer.

— Je t'ai déjà dis que Mélanie ne m'empêche jamais de me reposer. C'est une enfant agréable et je suis toujours bien heureuse de m'occuper d'elle.

— D'accord. Mais, si je te dis que c'est mon cœur de père qui te le demande, me laisserais-tu la prendre avec moi ?

— Si tu veux… Mais tu vas l'amener où, à Magog ? Je ne veux pas qu'elle aille si loin, Charles. Je serais trop inquiète.

— Bien non… Le plus loin où elle va aller se promener, c'est chez moi à Verchères.

— Et Doris, elle va être chez toi ?

— Non, Doris est justement à Magog depuis deux semaines, et elle ne revient pas avant la fin du mois d'août pour préparer ses classes.

— Ah bon. Vous vous voyez moins souvent ?

— C'est cela. On ne se voit qu'à l'occasion…

— Vous ne sortez plus ensemble ?

— Ce n'est pas ce que j'ai dit. On a tout simplement pris une pause.

— Comment cela ?

— Si tu veux que je t'explique tout cela, je pourrais peut-être entrer chez toi si tu m'invitais à prendre un café ? Je ne l'ai pas pris. Ce matin, quand je me suis réveillé, en sortant de mon lit, j'ai tout de suite sauté dans ma voiture.

— Donne-moi le temps de m'habiller, et je vais te faire un café.

— Si c'est juste pour moi que tu t'habilles Anne-Marie, ce n'est pas nécessaire. Moi je mangerais bien toutes les belles pommes rouges qui sont prêtes à être cueillies sur ta belle petite jaquette.

— Charles !

Marie-Anne avait revêtu sa robe de chambre couleur lavande. Elle avait dénoué son chignon et ses cheveux acajou retombaient en boucles sur ses épaules qui supportaient ce lourd fardeau qui ne l'avait pas quittée depuis maintenant presque un et demi. Par habitude, elle lui demanda combien de sucre et de lait il prenait dans son café, même si elle ne l'avait jamais oublié. Il le prenait noir et le matin, sur ses rôties, il ne mettait jamais de beurre, sauf quand il les accompagnait d'une crème de blé bien chaude. Elle lui servit son café avec une légère nervosité pendant que celui-ci l'épiait tendrement du coin de l'œil.

Le conversation se déroula autour de Mélanie et de Doris.

— Cré petit cœur... Laisse, je vais m'occuper de la changer. Viens ici ma princesse, papa va montrer à ta maman qu'il est capable lui aussi de changer une couche.

— Je n'en ai jamais douté, Charles. C'est sûr qu'au tout début j'avais une petite inquiétude de te laisser partir tout seul avec elle, mais maintenant, je vois bien que quand la petite te regarde avec des grands yeux souriants, je me dis qu'elle est vraiment bien chanceuse d'avoir un père comme toi, même si je sais que tu la gâtes un peu trop.

— Mais, je ne la gâte pas du tout !

— Ouin ouin, quand tu me la ramènes le dimanche soir, elle ne s'endort pas avant que je l'aie bercée, et cela, pendant une bonne heure.

— C'est vrai que je la dorlote un peu avant de la mettre au lit, mais comment veux-tu que je fasse autrement ? Elle m'ensorcelle cette enfant-là !

Par la suite, devant une deuxième tasse de café, il lui expliqua pourquoi sa relation avec Doris était différente depuis quelques semaines. Ce n'était pas un amour réciproque et, plutôt que de de briser la grande amitié qui existait entre eux, ils avaient décidé de prendre un peu de distance avant de tout abîmer. Depuis le début, Doris savait que leur idylle n'étaient pour Charles que le reflet de leur amitié. Ils avaient eu des moments de folies et elle persistait à demeurer aveugle pour éviter de mettre une croix sur leur relation. Puis un jour, elle n'eut d'autre choix que de faire face à la réalité.

— Peut-être que tu l'aurais aimée avec le temps, Charles.

— C'est toi que j'aime, Anne-Marie... Et tu le sais très bien... Qu'est-ce que tu fais l'autre fin de semaine ?

— Je n'ai rien de prévu. Pourquoi ?

— J'avais pensé aller voir ma tante Rosalie à Boucherville. Depuis que mon oncle André est décédé, elle doit trouver le temps long, la pauvre. Et puis sa santé n'est pas forte forte non plus.

— Elle est très malade ?

— Oui assez, elle fait de l'emphysème et son cœur est bien fatigué.

— Vraiment ! Est-elle au courant pour nous deux ? Je veux dire, tu sais ce que je veux dire.

— Je n'ai pas pu lui cacher, Anne-Marie. Elle était bien déçue, mais pour se consoler, elle s'est rattachée au fait que c'était sa nièce qui demeurait dans sa maison.

— C'est triste pour elle. Regarde, on pourrait lui rendre visite le dimanche ?

— Tu viendrais ?

— Oui, mais à condition que tu ne prennes pas cela pour une réconciliation, Charles.

— Loin de moi l'idée de penser cela, Anne-Marie !

Chapitre 20

LE SANCTUAIRE

DANS LA MATINÉE DU SAMEDI, Anne-Marie s'était rendue au presbytère pour demander au curé Forcier les renseignements nécessaires pour se rendre au lac Mégantic. Le curé la reçut chaleureusement et fut enchanté d'apprendre que celle-ci voulait visiter le patelin où il avait passé son enfance et il en avait profité pour lui narrer une autre page de sa vie d'antan. Très jeune, il se rendait régulièrement au presbytère de son village à Val-Racine pour y recevoir les bons conseils du curé Dallaire. Le curé Dallaire y demeurait avec son bedeau et sa femme, leurs enfants et la bonne ménagère infatigable.

— Quand j'arrivais au presbytère, je voyais toujours le curé Dallaire en train d'arpenter sa grande galerie en lisant inlassablement son bréviaire. Et quand il ne lisait pas, il célébrait la messe tous les matins et ensuite, durant tout l'après-midi, il recevait ses paroissiens pour discuter de toutes sortes de sujets qui les tracassaient. Il était très instruit aussi. Faute de médecin ou de notaire, ceux-ci étant trop éloignés du village, il guérissait les âmes en peine ou bien renseignait les paroissiens sur leurs droits que ce soit pour leurs terres agricoles ou bien leur situation matrimoniale.

— C'était vraiment un homme indispensable aux yeux de tous ses citoyens.

— Oui, si l'on veut mon enfant. Même s'il y avait quelques commères dans le village qui insinuaient qu'il avait des relations intimes avec sa ménagère dévouée.

— Ce n'est pas vrai !

— Bien oui, vous savez comme moi que le plaisir de la chair était un sujet de discussion fréquent, même si on le considérait tabou. Les cancans se répandaient dans le village jusqu'aux campagnes avoisinantes et, croyez-moi, le curé Dallaire devait protéger ses allées et venues entre le presbytère et sa vie sociale, s'il en avait une naturellement. Car, si je me souviens bien, lui seul possédait une automobile et toutes les fois qu'il la sortait de son gros hangar après que le bedeau l'ait fait reluire comme un sou neuf, il partait visiter ses paroissiens ou récolter la dîme ou encore se rendre au chevet d'un pauvre mourant et lui administrer l'extrême-onction. Il ne pouvait se compromettre et finir comme simple aumônier dans un couvent de religieuses.

— C'est sûr ! Comment penser qu'un homme de Dieu ne puise être tenter par le péché charnel ? Aujourd'hui, dans la situation où je me trouve, par exemple, je n'aurais jamais accepté non plus de me faire renier par mon Église vu que j'attends un enfant et que le père n'est plus avec moi. Dans le temps, si je ne me trompe pas, c'était comme cela que ça se passait.

— Oui ma fille, mais cela a bien changé depuis vingt-cinq ans. Dans ce temps-là, si une paroissienne sautait une occasion de faire son devoir de mère, le curé intervenait dans leur vie. Mon père lui-même s'était fait sermonner parce qu'il n'avait pas fait son devoir de père. À la confesse, il ne fallait pas qu'il mente au curé. Si pendant l'acte de la procréation il avait jeté sa semence à côté, bien il devait le dire à son confesseur. Il aurait fallu que ma pauvre mère soit en famille tous les ans avec un pauvre répit de trois mois entre chaque grossesse, et cela, pendant au moins vingt ans de sa vie.

— Mais c'est effrayant! Il prenait la femme pour une machine à bébés!

— Malheureusement, c'était comme cela. Et je pense encore à Paul-Aimé Latour qui en avait déjà douze et à sa pauvre femme qui était morte en couche à son treizième.

— Mon Dieu, mais c'était inhumain!

— Eh oui! À cette époque-là, le curé était comme le garde du corps de la paroisse. Il était là aussi pour la survivance canadienne-française. Au lieu de se préoccuper de l'odeur d'humidité et de pourriture qui s'infiltrait dans les fissures de sa vieille église, il la masquait par la fumée de son encens pour avoir plus de temps pour surveiller la vie conjugale de ses paroissiens.

— Excusez-moi, monsieur le curé, mais je pense que ce que faisait ce curé-là c'était bien plus du vice que d'autre chose!

— Je ne vous le fais pas dire mon enfant! Si j'avais exercé mon métier de curé en ces temps-là, j'aurais été incapable d'exiger de mes paroissiennes qu'elles servent de soubrettes pour l'humanité. Elles n'auraient pas été punies pour autant, ces femmes-là! Dieu est juste et il est aussi miséricorde.

— Et le chemin pour me rendre au Sanctuaire du lac Mégantic, vous me le donnez, monsieur le curé?

— Bon Dieu que je parle, moi ! J'étais en train d'oublier le but de votre visite, mademoiselle Sirois !

Sur l'un des trois sommets du lac Mégantic se trouvaient une croix, une petite chapelle et un panorama époustouflant, véritable pôle d'attraction pour les visiteurs. En 1818, Ferdinand Corriveau érigea une croix sur la cime de la montagne et en 1880, il construisit la petite chapelle pour la dédier à Saint-Joseph afin de lui demander protection contre les tempêtes et les ouragans fréquents. En 1897, la montagne fut fusionnée au village de Saint-Léon.

Sur le parvis fleuri bordant la petite chapelle, le soleil jetait sa lumière comme pour diriger les visiteurs vers ce lieu de culte. Dans la petite nef, un sacristain priait les visiteurs de s'avancer pour la visite guidée. Dans le chœur, des lampions brûlaient paresseusement et les encensoirs distillaient leurs parfums dans la sainte chapelle. Des visiteurs endimanchés y circulaient en caressant sur leur passage les prie-Dieu où des milliers de pèlerins avaient demandé jadis des faveurs au Saint-Père et d'autres, plus à l'aise dans leur tenue vestimentaire, étaient transportés au XIXe siècle, dans les débuts de la colonisation de cette magnifique région coiffant les Appalaches. Le prélat avait terminé son homélie par : « Allez en paix mes enfants et tout au long de votre vie, n'arrêtez pas de semer les bonnes actions envers votre prochain et que Dieu vous bénisse. »

Mais, on ne quittait pas le Sanctuaire sans aller visiter le village de Notre-Dame-des-Bois. Ce village était vraiment situé à flanc de montagne au centre des Appalaches. Anne-Marie, Bruno, Solange et Mario furent en tous points ravis. Le village est entouré d'immenses forêts et de nombreux cours d'eau où chasseurs et pêcheurs peuvent s'adonner à loisir à leurs sports favoris. On y trouve même une rivière à saumons, la Saint-François. Ils avaient aussi appris du guide que Notre-Dame-des-Bois était voué en grande partie à l'agriculture mais que du tourisme dépendait son avenir.

La journée de pèlerinage des quatre Contrecoeurois se termina trop vite, et ils se promirent d'y retourner tellement ils avaient été émerveillés de contempler tous ces magnifiques paysages et surtout d'avoir été accueillis par des gens si sympathiques.

Chapitre 21

LA PETITE CHAUMIÈRE

UNE BONNE NOUVELLE SE RÉPANDAIT dans le rang du Ruisseau. Solange porterait déjà son deuxième enfant depuis cinq mois lorsqu'elle dirait « oui, je le veux ! » devant le curé Forcier le 23 décembre prochain devant l'autel de l'église Sainte-Trinité. À Boucherville, une Rosalie amaigrie, mais heureuse d'accueillir Anne-Marie et Charles s'était levée pour les embrasser tendrement. Une chambre, un petit salon cuisine et une salle de bain lui suffisaient maintenant pour poursuivre sa nouvelle route depuis le décès de son mari. Pour elle, André ne l'avait jamais vraiment quittée et les nombreuses photographies accrochées ici et là sur les murs fraîchement habillés de blanc en témoignaient. Mais elle, à qui on avait imposé le déménagement, aurait préféré pousser son dernier soupir dans la maison familiale, celle du rang du Ruisseau.

— Vous avez l'air un peu fatiguée, ma tante ?

— Je le suis, Charles. Que veux-tu, mon corps ne veut plus m'écouter.

— Qu'est-ce que vous faites de vos journées ? Vous ne vous ennuyez pas trop ?

— Oh, mon garçon. Même si je suis fatiguée, il faut que je sorte pareil. Juliette, la femme de Midas, est rendue à

quatre-vingt-deux ans et elle ne me laisse pas une journée à rien faire. « Viens au bingo, viens nager, viens on va
prendre l'autobus pour aller magasiner à Longueuil. » Elle
m'épuise, cette femme-là !

— Profitez-en, madame Demers. C'est la belle vie !

— C'est certain que je n'ai pas à me plaindre de mon sort.
Je suis dans mon appartement quasiment juste pour dormir, bout de bon Dieu ! Anne-Marie…

— Oui ?

— Arrête de m'appeler madame Demers, veux-tu, ma fille ?
Tu sais, je suis la sœur de Madeleine, ta mère biologique et
celle de Charles.

— Je vais essayer ma tante Rosalie, mais je peux vous dire
que présentement je suis encore bien mêlée.

— Ma pauvre enfant… Si j'avais su, la journée où le père
Durand m'a donné cette lettre, que celle-ci allait briser votre amour… Mes chers enfants, je m'en veux tellement !

— Vous ne pouviez pas savoir, madame Dem… tante Rosalie. Mais j'ai pensé beaucoup à l'histoire de cette vieille
femme dont vous avez parlé à Charles après les funérailles,
la sage-femme.

— Oui !

— Est-ce qu'elle était grande, mince, et est-ce qu'elle avait
une sorte de tache de naissance au-dessous de son sourcil,
plutôt comme une tache de vin du côté gauche du visage ?

— Bien oui, ma fille. Cela aurait été dur de ne pas la remarquer, cette grosse tache-là lui descendait jusqu'en dessous des yeux.

— Oh ! mamy Bibianne !

— Qu'est-ce que tu dis, Anne-Marie ?

— Aux funérailles de ta mère… de notre mère, elle était là Charles !

— Mais qui ? Qui Anne-Marie ?

— Tante Rosalie t'avait parlé d'elle quand tu es allé la voir la journée qu'on s'est rencontrés, tu ne l'avais pas vue toi ?

— Non, parce qu'en sortant de l'église, je m'étais rendu tout de suite au cimetière pour voir le lot où ma mère serait enterrée.

— Oh ! C'était mamy Bibianne…

— Ma tante Rosalie m'avait dit que cette vieille femme lui avait raconté que tu étais adoptée et qu'elle habitait à Trois-Rivières, à deux maisons de tes parents adoptifs. Elle doit être très vieille aujourd'hui, si elle n'est pas déjà morte…

— D'après moi, si elle est encore vivante, elle devrait bien avoir dans les quatre-vingt-sept ou quatre-vingt-huit ans. Oh j'aimerais la revoir, ma mamy !

— Tu l'aimais cette mamy, mon coeur… Anne-Marie ?

— Si je l'aimais ! Si j'avais pu grandir auprès d'elle, je n'aurais pas été malheureuse comme avec mes parents adoptifs. Pensez-vous qu'elle est morte ?

— Cela ma fille, il y a juste Charles qui peut te répondre en t'emmenant à Trois-Rivières, car j'imagine que tu aimerais mieux ne pas y aller toute seule.

— Charles ?

— Nous irons Anne-Marie, nous irons…

Sur le chemin du retour, la nuit était tombée et Anne-Marie ne voyait nullement les phares aveuglants des autos tellement elle était plongée dans son passé. Elle se retrouvait dans la petite maison de mamy Bibianne, « sa petite chaumière » comme elle l'avait surnommée. Mamy

Bibianne portait toujours des jupes très longues et les frou-frous de dentelle dansaient sur les dalles du sol. Sur le seuil de sa maison, à trois heures et demie, les mains enroulées dans le tablier bleu qui ne la quittait jamais, elle accueillait sa petite rouquine d'un cri joyeux : « Hey ma princesse, dépêche-toi d'entrer, minou Grison n'arrête pas de tourner en rond depuis que le coucou a chanté trois heures ! »

Deux énormes chênes centenaires étaient plantés aux extrémités de la maison, ce qui donnait l'impression que leurs longues branches robustes se préparaient à la soulever pour la porter jusqu'au ciel.

— Hey mamy ! J'ai vu deux écureuils qui se donnaient des becs sur le toit de ta maison !

— Bien oui, c'est Noisette et Grenoble, tu ne les as pas reconnus ?

— Bien non… Les écureuils sont tous pareils, mamy !

— Oh non, mon petit ange. Remarque bien quand tu vas les revoir la prochaine fois. Noisette, c'est une petite fille avec plein de petits poils roux autour des yeux et Grenoble, c'est un gros écureuil brun avec une tache noire sur le bout de sa grande queue touffue.

— Tu vois tout ça, toi ? Eh bien !

— Bien oui, comme je vois que tu es la plus belle des princesses, mon cœur.

Chaque jour chez sa mamy, Anne-Marie s'émerveillait de petits riens qui, pour elle, étaient sa récompense pour une journée de classe bien remplie. Elle avait ainsi appris que les abeilles n'étaient pas si méchantes et que celles-ci travaillaient sans arrêt pour construire des rayons de miel. Elle apprit également qu'en automne, s'il fallait enterrer les

roses du jardin, c'était pour les protéger afin qu'elles reviennent à la vie encore plus jolies sous le soleil de mai. Aussi,
c'était chez sa mamy, à l'âge de dix ans, qu'elle avait appris
à aimer le tapage du tonnerre et le déchirement des éclairs
quand, par un jour grincheux, elle était montée au grenier
et que sur le rebord de la lucarne, elle contempla un spectacle grandiose qui la médusa.

— Coucou, Anne-Marie !

— Nous sommes arrivés ?

— Bien oui, je ne sais pas où tu étais plongée depuis qu'on
est parti de Boucherville, mais je n'ai pas osé te sortir de ton
rêve tellement tu avais l'air bien.

— J'étais avec des écureuils et des abeilles, et j'ai aussi
monté dans un grenier avec mamy et Grison.

— Grison ?

— Son chat s'appelait Grison, comme le mien !

— Ah oui ! Est-ce que tu veux que j'aille chercher Mélanie
avec toi chez Solange ?

— Si tu veux. Mais en revenant, je ne t'invite pas à entrer
chez moi par contre.

— Je savais déjà tout cela, Anne-Marie.

— Merci de me comprendre Charles... Surtout qu'il va
probablement pleuvoir avec ce ciel noir, j'aime mieux ne pas
prendre de chance.

— Que veux-tu dire ?

— C'est correct. Je me comprends, c'est une histoire entre
moi et Solange.

— C'est comme tu veux, Anne-Marie. Quand veux-tu aller à Trois-Rivières ?

— Tu veux vraiment m'y amener, Charles ?

— Je te l'ai promis chez ma tante Rosalie, non ? Il ne te reste qu'à choisir la journée. Et pourquoi pas demain ?

— Hein ! Si vite que ça ?

— Bien oui, pourquoi pas ? On pourrait même faire un pique-nique en s'en allant !

— C'est tentant ça… Mais….

— Chut ! Ne t'inquiète pas, mon cœur. Ce n'est pas un voyage de réconciliation que je te propose. Je veux tout simplement passer une agréable journée en ta compagnie.

La petite chaumière était toujours là, avec son tapis verdoyant parsemé de petites fleurs violettes. Un vieil homme à l'allure étrange était sorti de la maison avec, sous son bras, un vieux panier d'osier. Il portait au moins soixante-dix années de sagesse et ses traits tirés ne faisaient que le confirmer. Quand il leva son regard sur Anne-Marie et Charles, ses yeux couleur de jade se mirent à sourire.

— Bonjour…

— Bonjour monsieur, on s'excuse de vous déranger.

— Vous ne me dérangez pas pantoute, monsieur ! Je peux faire quelque chose pour vous ? Vous avez l'air de deux âmes en peine.

— Oui peut-être… Je me présente, Charles Jolicoeur et voici Anne-Marie.

— Enchanté… Qu'est-ce qui peut bien vous amener par icitte, mes enfants ?

— Voilà monsieur... Quand j'étais petite, je restais dans la maison blanche là-bas en haut de la côte. Celle qui a une toiture grise. Vous la voyez ?

— Oui.

— Je venais souvent dans votre maison pour voir mamy Bibianne, puis...

— Qui ?

— Désolée, je ne connais pas son vrai nom.

— Pauvre fille, la femme de qui j'ai acheté cette maison, elle est...

— Morte ?

— Je ne sais pas si elle est morte. Tout ce que je sais, c'est qu'elle m'a vendu sa maison pour s'en aller rester dans un foyer à Bécancour. Une bonne personne, cette dame-là !

— Est-ce qu'elle avait comme une tache de vin au-dessus du sourcil gauche monsieur ? Monsieur ?

— Monsieur Beauséjour.... Conrad Beauséjour. Oui, c'est ben ça. Elle avait une tache mauve au-dessus des yeux pi c'était une femme bien douce.

— C'était quoi son vrai nom, je l'ai toujours appelée mamy Bibianne ?

— Hum... Attendez un petit peu... Maudite mémoire, ! Ok, je l'ai ! Bernadette Jolicoeur.

— Hein, Jolicoeur ? Êtes-vous sûr de cela ?

— Je pense ben, voulez-vous que j'aille chercher les papiers de la vente de la maison, mam'selle ?

— S'ils ne sont pas trop loin, j'aimerais bien, monsieur Beauséjour.

Anne-Marie avait la tête comme dans un étau et sans s'en rendre compte elle venait de piétiner les pauvres violettes qui se trouvaient à ses pieds. Charles essayait de la calmer, mais en vain. Le septuagénaire les invita à entrer dans la petite chaumière où ils s'étaient installés à une grande table ovale entourée de quatre chaises dépareillées. Pendant que celui-ci préparait une infusion de thé vert, Anne-Marie n'avait d'yeux que pour le document contenant les informations qui allaient peut-être confirmer que mamy Bibianne était bien leur grand-mère biologique, à Charles et à elle-même.

— Comme ça mam'selle, vous avez connu l'ancienne propriétaire quand vous étiez jeune ?

— Oui… et je l'ai toujours appelé grand-mère. D'ailleurs, si j'avais pu, elle aurait été ma mère aussi !

— Pauvre mademoiselle… À ce que je vois, vous ne l'avez pas eu facile dans ce temps-là ?

— Est-ce que vous pouvez nous les montrer ces papiers-là, monsieur Beauséjour ?

— Oui, monsieur Jolicoeur… Tiens ma fille.

— Merci. Oh ! Charles ! Tiens, là, regarde !

— Voyons Anne-Marie, ce n'est probablement qu'une coïncidence.

— Oui, ça se peut ! Mais…

— Regarde, si tu veux en avoir le cœur net, on va tenter de la retrouver à Bécancour, en espérant qu'elle soit toujours vivante.

— Merci Charles.

— On va vous laisser, monsieur Beauséjour, et merci mille fois pour les renseignements.

— Ce n'est rien mon garçon. Puis si vous repassez dans le coin un de ces jours, venez me faire une petite visite. Je vous trouve bien smattes tous les deux.

Chapitre 22

GRAND-MÈRE BERNADETTE

SITUÉE À PRÈS DE CINQ MINUTES de Trois-Rivières, Bécancour est un des plus anciens villages riverains du fleuve
Saint-Laurent. Sa fondation remonte à 1647 et ce fut le
grand voyer de la Nouvelle-France, Pierre Robineau qui lui
donna son nom. Au début du XVIIIᵉ siècle, cette seigneurie était habitée par les colons et les Abénakis, portant le
nom de Sélinak, qui s'étaient installés en bordure de la rivière Bécancour. De là on peut admirer des sites historiques de toute beauté, comme les Forges du Saint-Maurice,
le Sanctuaire Notre-Dame-du-Cap, l'église la Nativité-de-
la-Bienheureuse-Vierge-Marie ainsi que le magnifique Manoir de Bécancour, vieux de plus de cent ans.

En arrivant au centre d'hébergement pour les aînés,
Charles n'avait pas grand espoir que Bernadette Jolicoeur
soit encore de ce monde. Ils s'informèrent à la réception
auprès d'une dame assez corpulente qui les accueillit de son
charmant sourire.

— Bonjour, est-ce que je peux me rendre utile ?

— Bien sur madame, on aimerait savoir si vous avez une
pensionnaire du nom de Bernadette Jolicoeur.

— Nous avons eu ici une Bernadette Jolicoeur, mais malheureusement…

— Elle est morte ?

— Non non ! Mais je peux vous dire qu'elle a quitté la résidence parce qu'elle n'était plus suffisamment autonome, mademoiselle.

— Et je peux savoir où elle est maintenant, madame ?

— Bien… êtes-vous de la famille ?

Au moment où Anne-Marie s'apprêtait à lui répondre, Charles lui coupa la parole en s'empressant de dire à la dame que Bernadette Jolicoeur était sa grand-mère paternelle.

— Je veux bien vous croire, monsieur, mais je n'ai aucune preuve. Avez-vous une carte d'identité ?

— Voilà !

— Excusez-moi, monsieur Jolicoeur. Ce n'est pas que je ne vous croyais pas, mais je suis obligée de le demander. Sinon, on pourrait donner les adresses à des inconnus et puis on pourrait s'en mordre les doigts après, vous comprenez ?

— Je comprends parfaitement, madame.

— Bon bien, je vais vous donner l'endroit où elle a été transférée. Est-ce que cela fait longtemps que vous ne l'avez pas vue ?

— Oh ! Un bon 25 ans.

— Oh la la ! Vous allez trouver qu'elle n'est plus la même personne qu'il y a 25 ans ! Je vais quand même vous prévenir qu'elle est en chaise roulante et qu'elle a été amputée d'une jambe et, aussi, qu'elle souffre d'un début de la maladie de Parkinson. Assoyez-vous donc, mademoiselle. Vous êtes toute blanche. Vous savez, elle n'est plus très jeune, madame Bernadette. Mais je suis assurée qu'elle va être très heureuse de vous revoir. Vous êtes qui par rapport à sa famille, mademoiselle ?

— C'est ma grand-mère à moi aussi, je suis la sœur de monsieur Jolicoeur.

— Ah mais c'est très bien ! Elle va faire deux belles retrouvailles ! Et vous avez bien fait de venir la voir. Vous savez, elle est quand même rendue à quatre-vingt-six ans.

— Déjà ?

— Vous ne saviez pas son âge ?

— Je savais qu'elle n'était pas loin de ses quatre-vingt-cinq ans, cela fait tellement longtemps !

— Vous aviez quel âge la dernière fois que vous l'avez vue, mademoiselle Jolicoeur ?

— J'avais à peu près dix ans ! Elle demeurait dans sa petite chaumière à Trois-Rivières. On s'était perdues de vue et par la suite je suis déménagée à Contrecœur.

— Ouf, son cœur va en prendre un coup ! Mais ne vous en faites pas, elle est très malade, mais elle a un cœur de jeune fille. Bon, je vais vous écrire son adresse sur un bout de papier. Elle est à l'hôpital Christ-Roi de Nicolet.

— Y a un hôpital à Nicolet ?

— Bien oui, ce sont les Sœurs Grises qui l'ont ouvert en 1932. Il est situé au 675, sur la rue St-Jean-Baptiste.

— Merci beaucoup, madame. On s'y rend tout de suite, c'est sur notre chemin du retour.

Ils quittèrent le centre d'hébergement à quatre heures trente et à cinq heures dix, ils étaient garés dans le stationnement de l'hôpital Christ-Roi dans la ville qui, depuis 1972, se nommait Saint-Jean-Baptiste de Nicolet. Le grand bâtiment abritait, dans une aile retirée, des gens de quatre-vingts ans et plus qui avaient besoin d'un accompagnement médical permanent. Anne-Marie et Charles reçurent un grand choc lorsqu'ils aperçurent ce petit corps si fragile qui ne devait pas peser plus de quatre-vingt-dix livres. La vieille femme, vêtue d'une jaquette blanche, tassée dans une chaise roulante placée devant la fenêtre, essayait de capter les derniers rayons du soleil qui filtraient au travers des tentures à peine entrouvertes, que ses mains tremblantes, sans doute, n'avaient plus la force de tirer. Sur les murs de la chambre, étaient accrochés des dessins fripés dont l'un représentait deux petits écureuils, un avec des petits poils roux autour de ses yeux et l'autre avec une longue queue tachetée de noir. Il s'agissait des dessins d'Anne-Marie. Sur le seuil de la chambre, Anne-Marie pleurait, elle venait de se rendre compte qu'elle avait jadis abandonné sa mamy. Elle s'avança tout doucement vers elle pour ne pas la faire sursauter et s'agenouilla à ses pieds.

— Bonjour mamy.

— Oui ?

— Tu ne me reconnais pas, mamy ?

— Non, désolée. Vous devez vous être trompée de chambre, mademoiselle.

— Oh ! mamy Bibianne, j'ai tellement de peine !

— Non ! Anne-Marie ! Ma petite-fille adorée ! Oh…

— Oh ! mamy, mamy… que je suis contente de te voir, tu m'as tellement manqué !

— Tu n'avais que dix ans, Anne-Marie ! J'étais certaine de partir sans plus jamais te revoir, ma petite soie. Tu es belle, mon ange ! Merci mon Dieu, c'est le plus beau cadeau que tu ne pouvais pas me donner avant que je te rejoigne dans ton ciel !

— Mamy, je sais que tu es ma vraie grand-mère, je le sais ma douce mamy.

— Comment l'as-tu su ?

— Je suis allée dans ta petite chaumière, et monsieur Beau-séjour nous a montré les papiers de la vente de la maison. Mais pourquoi tu ne me l'avais jamais dit ?

— Ton père, je veux dire….

— Je sais toute mon histoire, grand-mère. Je sais que mes vrais parents étaient Madeleine et Delphis. Oui, je sais grand-mère. Je sais que j'ai été adoptée. Et je vais faire ren-trer un garçon que tu n'as pas vu depuis l'enterrement de ta belle-fille Madeleine. Viens…

— Charles ! Oh ! Charles ! Mon petit-fils !

— Mes deux petits-enfants ! Que demander de mieux avant de faire mon grand voyage !

— Mais, tu ne partiras pas tout de suite, grand-mère. Il faut nous laisser le temps à moi et à Charles de profiter de ta tendresse encore un petit peu, hein ?

— Je peux essayer de faire mon possible mes enfants, mais j'ai quatre-vingt-six ans et comme vous voyez, je…

— Tu es toujours la même pour moi, grand-mère. Tu es la plus belle âme que j'ai connue. Je suis tellement heureuse de t'avoir retrouvée !

— Veux-tu, Anne-Marie, je vais te raconter l'histoire de ma vie ?

— Bien oui !

— Venez là sur le bord de mon lit, tous les deux.

— Tu ne veux pas t'étendre plutôt ?

— Non non, bientôt je vais être étendue pour l'éternité ma fille et ça va être bien correct.

— Mamy !

— Bon… Quand votre père, mon garçon, s'est marié avec Madeleine, les liens furent complètement coupés, et il nous avait été bien défendu, à moi et à votre grand-père, de s'approcher de Madeleine et surtout de lui. Il nous avait reniés complètement.

— Mais, qu'est-ce qui s'était passé de si grave ?

— Regarde, Delphis avait déjà un caractère déplaisant à l'âge de dix ans et rendu adulte, il n'était pas endurable. Le matin de ses noces, je lui avais dit que la terre qu'on possédait, moi puis Bertrand, ne lui reviendrait pas de droit vu qu'on la léguait à son frère Albert.

— Notre grand-père s'appelait Bertrand ?

— Bien oui, mon pauvre Bertrand est mort de la polio à cinquante-six ans dans le plus fort de l'épidémie en 1946. Bon, vous allez me dire que Bertrand aurait dû préciser sur son testament qu'à la suite de son décès, la terre devrait être vendue et que le montant total serait divisé entre ses deux garçons. Pourquoi ne l'a-t-il pas fait ? Sans doute parce qu'Albert avait en lui la vocation d'agriculteur. Pas Delphis ! Albert aidait mon Bertrand comme un forcené sur la terre, et ça, beau temps mauvais temps. Delphis, c'était un courailleux et un traineux de savates. Jamais qu'il n'avait levé le petit doigt pour aider son père sur la ferme. Il aimait mieux se tenir au village puis quand il rentrait le soir, et ça, c'est quand il rentrait, il criait à tue-tête dans la maison en me traitant de vieille maudite ingrate parce que je ne me levais pas pour lui faire à manger. Et quand Albert se levait pour essayer de le calmer et de lui enlever la bouteille de gros gin qu'il buvait à grosses gorgées comme un ivrogne, eh bien il sortait les poings, et vu qu'Albert était beaucoup plus maigrichon que lui, Delphis le battait jusqu'à tant qu'il soit étendu par terre, rendu presque au bout de son sang.

— Mon Dieu !

— C'est pour cela que moi et Bertrand avions décidé, quand on a fait notre testament, de ne rien laisser à ce sans cœur. Après s'être marié, il a voulu nous montrer qu'il était capable comme son frère de devenir cultivateur et il s'est acheté la terre où vous êtes venus au monde tous les deux. Je n'ai jamais eu l'occasion de connaître Madeleine non plus. Il s'était marié en vitesse avec elle pour ne pas être appelé au front. C'était pendant la Deuxième Guerre mondiale en 1940. Il m'avait reniée de sa vie complètement et il m'avait bien défendu d'approcher sa femme, car si je me présentais devant elle, il me le ferait regretter pour le restant de mes jours.

— Voyons mamy !

— Laisse-moi continuer, mon trésor. J'ai vu votre mère deux fois dans ma longue vie. La première fois, c'est quand je l'ai vue sortir de la Cathédrale de l'Assomption et que j'ai remarqué qu'elle était enceinte de toi, Anne-Marie. Et la deuxième fois, c'est quand j'ai vu ta petite binette à la pouponnière de l'hôpital Comtois.

— Tu étais venue me voir, mamy ?

— Oui, mon petit cœur. J'y étais allée incognito en me cachant derrière un chapeau à voilette et petit Jésus que tu étais belle, Marie-Anne !

— Tu m'as appelée Marie-Anne, mamy !

— Bien oui, à la pouponnière tu portais le nom de Marie-Anne Jolicoeur jusqu'à ce que ta mère te donne en adoption.

Après, les années ont passé et je me suis informée à l'hôpital Comtois pour savoir dans quelle ville tu avais été adoptée.

— Mais, comment avez-vous pu avoir les renseignements à l'hôpital Comtois pour Anne-Marie ?

— J'y arrive Charles ! C'était confidentiel, mais comme je m'ennuyais tellement de cette enfant-là, la bonne sœur Marie-Jésus m'a donné le nom de ses parents adoptifs à Trois-Rivières en me faisant promettre d'amener le secret avec moi dans ma tombe, car cette pauvre religieuse venait d'aller à l'encontre de son Dieu et de son travail.

— Sœur Marie-Jésus ?

— Tu la connais, Charles ?

— Oui, c'est elle que j'ai rencontrée quand je recherchais Marie-Anne.

— Oui, une bien bonne personne, cette femme-là ! Je ne sais pas en quelle année elle est allée rejoindre le Seigneur, elle aurait mérité de vivre encore deux cents ans étant donné tout le bien qu'elle faisait sur la terre.

— Elle est morte la journée ou elle m'a donné le baptistaire et l'attestation de naissance d'Anne-Marie.

— Oh ! Tu vois, elle est partie en te rendant service, mon Charles. Et elle est montée au ciel heureuse de t'avoir fait retrouver ta sœur.

— Oui !

— Et quand j'ai eu l'adresse des parents adoptifs de Marie-Anne, j'ai déménagé tout près d'elle à Trois-Rivières. Et c'est là que notre histoire a commencé pour elle et moi. Mais ce beau conte s'est malheureusement terminé assez vite quand monsieur Sirois s'est aperçu où Marie.... Anne-Marie s'attardait à la sortie de son école.

— Mais, comment as-tu su mamy que j'avais déménagé à Contrecoeur en 1972 ?

— Bien, quand tu es déménagée de la rue des Forges, même si cela faisait vingt ans qu'on ne se voyait plus ma belle, quand tes parents sont morts dans l'accident de voiture, je suis allée à leurs funérailles à l'église Saint-Philippe, encore une fois vêtue d'un chapeau à voilette, et je me suis assise complètement à l'arrière de l'église pour te voir sortir. Je t'avais reconnue tout de suite avec tes petites taches de rousseur et tes beaux cheveux roux. Tu portais une jupe noire avec un veston couleur or et ta chemise... Je ne me souviens pas très bien, peut-être qu'elle était blanche !

— Tu as toute une mémoire, mamy !

— J'ai toujours eu une mémoire d'éléphant, ma belle. Même si les gens disaient de moi que j'étais une femme dérangée.

— Voyons mamy ! Et pour Contrecoeur ?

— J'y arrive ma fille ! Malgré tout, Dieu m'a bien créée. J'avais l'ouïe très développée et je me retrouvais toujours au bon endroit quand il le fallait. Et pour la première fois après plus de vingt ans, enfin, j'ai pu te voir et dieu que je t'avais trouvée belle. Tu avais demandé à ton amie si elle avait eu du courrier pour toi.

— Annick ?

— Oui Annick Dion ! C'est elle qui te faisait suivre ton courrier à Contrecœur.

— Oui... mais elle ne m'a jamais parlé que tu étais allée la voir !

— Ce n'était pas elle qui me l'avait donné, mon coeur, c'était son mari, Laurent! Oui c'est ça, Laurent. Annick n'était pas là.

— Eh bien! Et comment as-tu fait pour savoir où restait Annick, tu ne la connaissais pas?

— Non, mais sur le perron de l'église Saint-Philippe, elle était avec ses parents. Et comme par magie, je connaissais sa mère, madame Chénier. Elle était membre du cercle des fermières de Giffard avec moi. Donc, tout en jasant avec elle, elle m'avait dit que sa fille restait dans la bâtisse du magasin Pollack. Et voilà, tu es au courant de tout maintenant.

— Oui, mais j'ai beaucoup de peine d'avoir perdu toutes ces belles années avec toi, mamy.

— Viens là ma princesse.

— Une question grand-mère?

— Oui mon Charles?

— Comment m'as-tu reconnu tout à l'heure quand je suis entré dans ta chambre, tu ne m'avais même pas vu aux funérailles?

— Bien oui, je t'avais vu aux funérailles, Charles! J'étais assise à l'arrière de l'église Saint-Antoine de Padoue mais tu avais la tête baissée et tu pleurais quand tu es passé à côté de moi. Ensuite, tu es parti directement au cimetière. Je t'avais vu aussi dans les bras de ta mère à ton baptême, j'étais assise en arrière de l'église Saint-Antoine de Padoue avec encore une fois mon chapeau à voilette. Comment veux-tu que j'oublie un si beau visage? Tu étais un petit bébé adorable et, aujourd'hui, tu as les mêmes petits yeux

marron et les mêmes cheveux bruns avec des mèches dorées.

— On va être obligé d'y aller grand-mère, ils vont nous
faire sortir, c'est l'heure de ton souper. J'aimerais tant te ra-
mener avec moi, si tu savais !

— Mais on sait tous le trois que c'est impossible, hein ?
Vous allez revenir me voir, mes amours ?

— Bien oui ! Et pas juste avec Charles !

— Comment ça ?

— Je vais venir te présenter ton arrière-petite-fille.

— Non ! Je suis arrière-grand-mère ?

— Oui, elle s'appelle Mélanie et elle a tes yeux.

— Ma petite princesse qui a un enfant !

— On a un enfant mamy ! C'est la fille de Charles aussi.

— Vous ne saviez pas que vous étiez frère et sœur quand
vous vous êtes rencontrés et vous êtes tombés en amour ?

— Oui

— Mais c'est merveilleux !

Anne-Marie et Charles quittèrent l'hôpital avec dans leur
cœur une grande satisfaction, celle d'avoir retrouvé une
grand-maman formidable dans leur vie.

— Madame Jolicoeur, je vais vous préparer pour la nuit.
Ensuite, si vous avez besoin de quoi que ce soit vous de-
manderez garde Chapdelaine. Madame Jolicoeur ?

Bernadette Jolicoeur venait de passer dans l'autre monde avec sur ses lèvres un sourire qui se perpétuera tout au
long de sa nouvelle vie angélique.

— Pauvre femme, elle était tellement bonne ! Elle m'avait demandé la semaine dernière : « Si je meurs pendant votre quart de travail, garde Longchamp, voulez-vous faire le message à mes proches que j'aimerais porter un chapeau à voilette à mes funérailles. »

Chapitre 23

LA NOUVELLE ANNÉE 1977

AU PALAIS DE JUSTICE DE SOREL, dans une robe bustier de satin et de crêpe ivoire, Solange était saisissante d'une beauté toute féminine. Ses cheveux clairs bouclés, aux extrémités retenues par des perles nacrées avaient été sagement remontés pour dégager son visage. Elle avait déposé sur ses yeux une poudre dorée et sur ses lèvres, un rose givré brillait légèrement.

Mario, le futur époux, portant un costume noir très habillé et une chemise blanche avec col italien et boutons de manchettes en argent massif, n'avait d'yeux que pour sa dulcinée.

Le mariage civil fut célébré par le greffier adjoint de la Cour supérieure.

— Avant de vous unir par les liens sacrés du mariage, je vais vous faire lecture de certains articles du Code civil qui vous exposent les droits et les devoirs des époux. Hum... Article 392... Les époux ont en mariage les mêmes droits et les mêmes obligations, ils se doivent mutuellement respect, fidélité, secours et assistance, et ils sont tenus de faire vie commune.

On aurait pu entendre une mouche voler tellement les invités étaient accrochés aux paroles de cet homme de loi.

— Mario Martin, voulez-vous prendre comme épouse, Solange Leclerc qui est ici présente ? Répondez : « oui, je le veux. »

— Oui, je le veux.

— Solange Leclerc, voulez-vous prendre Mario Martin, qui est ici présent, pour époux ? Répondez : « Oui, je le veux. »

— Oui, je le veux.

— Donnez -vous la main. Je vous déclare maintenant unis par les liens du mariage. Vous pouvez échanger les anneaux ! Vous voilà donc mariés suivant la loi. Je vous offre, madame et monsieur, au nom de toutes les personnes ici présentes, et en mon nom personnel, nos meilleurs vœux de bonheur.

D'emblée tous les invités applaudirent les nouveaux mariés alors que leur baiser nuptial s'éternisait, accompagné de la douce musique de Shirley Théroux.

Oui, demain quand j'entrerai dans l'église,
Pour toi seul, je garderai mon sourire,
Pour toi, celui à qui je dirai oui,
Je serai toujours à toi pour la vie.

Le 24 décembre au matin, Anne-Marie avait téléphoné à Charles pour l'inviter à passer la nuit de Noël chez elle en compagnie de Solange, Mario et Benjamin, mais à sa grande déception, celui-ci avait décliné l'invitation en lui promettant d'être présent pour inaugurer la nouvelle année 1977.

1ᵉʳ janvier 1977.

Le manteau blanc était fripé et craquelé. La température était glaciale et le vent mauvais se perdait dans les vastes champs paralysés.

Solange s'affairait aux derniers préparatifs pour que tout soit digne du repas de la nouvelle année. Les invités s'en donnaient à cœur joie en interprétant des chansons folkloriques en attendant de s'asseoir à la grande table en bois massif coquettement décorée de couleurs vives.

— Cela n'a pas de bon sens à quel point toutes ces années ont passé si vite. On est déjà à la porte de 77, sainte mère !

— Bien oui ma vieille ! Je peux t'aider à quelque chose, Solange ?

— Il ne me reste qu'à mélanger la salade, mais si tu veux sortir les pâtés à la viande du fourneau et les couper en pointes, j'apprécierais.

— Hum ! Que ça sent bon. Regarde Benjamin, Solange, il essaie de se lever debout !

— Cré petit cœur, il essaie d'imiter Mélanie, mais je ne pense pas qu'il va être aussi précoce qu'elle, je le trouve pas mal paresseux, mon Benji.

— C'est de toute beauté de les voir, sainte mère. Qu'ils ont grandi vite, ces deux-là ! Il me semble qu'on vient juste d'accoucher, toutes les deux !

— Eh oui ! Et moi, j'en ai déjà un deuxième qui grandit dans mon ventre. Je ne sais pas si c'est pareil pour toi, Anne-Marie, mais quand j'étais jeune, j'avais hâte de grandir pour faire partie des grands et puis juste en me retournant, j'y étais déjà parvenue. Toutes ces petites choses de la vie ne nous rajeunissent pas non plus, hein ?

— Oh que non ! Un beau jour, et je te dis que cela va arriver beaucoup plus vite qu'on le pense, on va faire un sacré saut et on va angoisser à voir les rides et les cernes qui soudain seront apparus...

— Voyons donc Solange, on n'est pas rendues là encore ! On a juste trente-cinq ans !

— Tu vas voir, mon amie, tu m'en reparleras dans quelque temps. Je me revois encore à l'âge de 10 ans quand ma grand-mère m'avait donné mon premier coffre à bijoux en bois d'écorce rose et blanc. Elle m'avait donné la clef comme si c'était un trésor en me disant que cette clef-là ferait danser la ballerine juste pour moi. Mais c'est bien loin tout ça...

— Eh oui ! Ma Solange, c'est comme si dans une vie, on faisait juste un emprunt à la ligne du temps. Et malheureusement, on n'a pas assez de mémoire pour se rappeler tous ces beaux souvenirs-là.

— Exact Anne-Marie. Mais une chose que je suis bien contente de me rappeler, c'est de ma grand-mère tout miel... Elle connaissait par cœur la recette pour se faire aimer de ses petits-enfants !

— Et c'était quoi ses ingrédients ?

— Elle avait tout son temps pour me prendre sur ses genoux et m'entourer de ses gros bras ronds pour me bercer.

Et chez elle, je pouvais tout faire ce qui m'était défendu chez mes parents.

— Comme quoi ?

— Comme manger dans le salon, me coucher en même temps qu'elle, c'est-à-dire à dix heures le soir et à n'importe quel moment, j'avais le droit de me coller les doigts avec tout l'assortiment de bonbons poignés en pains dans son gros pot de vitre sur le comptoir.

— Ah oui ! Je me souviens des bonbons de toutes sortes de couleurs dans le temps des fêtes ! Moi, ceux que je préférais le plus chez mamy Bibianne, c'était les blancs avec un contour vert. Tu sais, ceux qui avaient une petite fleur au centre ?

— Oui oui ! Et moi, j'amais ceux faits en long, les rouges avec l'intérieur blanc, ils goûtaient la cannelle…

— Oui oui ! Et puis moi….

— Hey, les femmes ! Pensez-vous que vous aller la mettre sur la table un jour cette bonne tourtière-là ? On est en train d'agoniser, nous autres !

— Oh ! pauvre Bruno… Moi puis Solange, on jasait des vieilles années, et on avait oublié qu'on était rendues aux portes de l'année 77 !

Le repas du nouvel an fut un festin rempli de joie et d'allégresse. Après avoir entamé la grosse bûche de chocolat ornée de noisettes et de crème chantilly, Bruno, Charles et Mario se servirent copieusement d'une liqueur d'orange et de cognac, alors que les filles, en nettoyant la montagne de vaisselle en porcelaine, étaient retournées à leurs souvenirs d'enfance.

Mais Mario coupa net leur conversation…

— Attention ! Le compte à rebours est amorcé ! Dans cinq, quatre, trois, deux, un… Bonne Année ! Et que la fête continue, l'année 76 vient de tirer sa révérence !

L'heure était aux bilans, il fallait tirer un trait sur les mois qui venaient de s'écouler pour enjamber la nouvelle année.

— Attention ! Moi, Mario Martin, je vous souhaite à tous et à chacun de la santé, de l'amour et une vie remplie de belles surprises !

— Oui, Anne-Marie. Moi, Charles Jolicoeur, ici présent, je te souhaite sincèrement une vie à venir remplie de tendresse et d'amour, même si je ne suis pas le chanceux qui en profitera, et je suis sincère, crois-moi, tu le mérites tellement, mon cœur.

— Je te remercie Charles, mais moi, je sais que l'amour fait souffrir et c'est pour ça que j'ai décidé de ne plus jamais aimer…

— Sais-tu que tu passes à côté d'une deuxième chance, mon cœur ? J'aimerais donc être un marchand de bonheur et mettre dans ta vie une étincelle de joie !

— La joie de vivre Charles, c'est Mélanie qui me l'apporte, et cela me suffit amplement, crois-moi…

— Non, Anne-Marie. Je suis certain que Mélanie est un rayon de soleil dans ta vie de tous les jours, mais toutes les peines qui se sont emmagasinées en toi depuis 1975, tu ne les as jamais enterrées dans ton jardin, et c'est vraiment dommage.

— J'ai appris à vivre avec, désolée. C'est comme si je ne voulais pas m'en séparer, car au fond de moi, elles appartiennent aussi aux plus beaux jours de ma vie.

— Je t'aime mon cœur, même si je sais que je n'ai pas le droit de te le dire... Est-ce que je peux t'embrasser pour te souhaiter une année heureuse pour 1977 ?

— Bien sûr Charles... Et ce baiser-là, je vais le verser au chapitre des jours heureux.

Chapitre 24

LES ANNÉES 80

LES JEUNES ANNÉES AVAIENT PASSÉ trop rapidement et aujourd'hui, en ce jour d'octobre 1987, le saule s'était dépouillé de ses couleurs argentées et le vieux poêle bedonnant, encore de ce monde, se reposait en espérant, malgré son essoufflement et ses crépitements fatigués, survivre à un autre hiver. Ce matin, l'imposante cloche de l'église Sainte-Trinité avait chanté les trente-cinq années de dévotion du curé Forcier. Cet ecclésiastique pouvait être fier de prendre place à la droite du Saint-Père après tant de dévouement auprès de ses fidèles paroissiens.

Déjà, un remplaçant avait été désigné pour succéder à cet homme imposant. Sur le parvis de l'abbatiale, Hervé Allard offrait ses plus sincères condoléances aux paroissiens éprouvés par le décès de leur curé. Dorénavant, celui-ci prendrait place auprès du vicaire Desmarais et du bedeau, Octave Carignan, dévoué à son église depuis maintenant plus de trente-six ans.

Eh oui, après deux ans de sollicitation auprès du Vatican, l'abbé Charland avait enfin réussi à quitter la prêtrise pour convoler en justes noces avec Sylvianne Germain, sa jeune cousine pas très très jolie de Chicoutimi.

Madame Pauline, maintenant âgée de soixante-six ans, avait délégué ses fonctions de ménagère à mademoiselle Marion qui aujourd'hui portait le nom de madame Soul-lières.

— Une bien belle cérémonie. Il va me manquer ce bon curé Forcier. Je ne sais pas si je vais pouvoir m'habituer au curé Allard, je trouve qu'il a l'air bien froid, cet homme-là...

— Laisse-lui une chance, Anne-Marie. Il vient juste d'arriver dans la paroisse ! On dit qu'il n'y a personne d'irremplaçable, et je suis certaine que d'ici quelques mois les paroissiens seront bien à l'aise avec lui...

— Ouin. Benjamin n'arrivait pas aujourd'hui de Drummondville ? Tu ne m'avais pas dit qu'il finissait ses cours hier ?

— Bien oui, je l'attends vers la fin de l'après-midi, et je peux te dire que Lorie ne tient plus en place... Son grand frère, c'est de l'or pour elle, c'est son idole.

— Son grand frère, il a juste onze ans puis, elle, elle en a dix, sainte mère !

— Qu'est-ce que tu veux, depuis qu'il est pensionnaire, elle s'ennuie de lui comme ça se peut pas... Et Mélanie, elle finit quand à l'école Mère-Marie-Rose ?

— Le 22 juin.

— Est-ce qu'elle va passer une partie de ses vacances scolaires avec son père à Louiseville ?

— D'après moi, elle devrait bien y aller un bon trois semaines...

— Elle y va pas mal plus souvent chez son père depuis qu'il est séparé ?

— Bien oui, tu sais, ce n'était pas l'amour fou entre elle et Mireille... Pauvre Charles, après avoir racheté la maison de notre mère en 83, il ne sera resté avec elle que deux ans. Comme il m'avait dit au téléphone, il était en train de s'arracher les cheveux un à un sur la tête.

— Comment ça ?

— Bien, Mireille travaillait beaucoup avec lui sur la terre, mais là, tout seul, il pense à revendre la maison familiale.

— Tant que ça ?

— Moi, je pense qu'il avait agi sur un coup de tête quand les Taillefer l'ont appelé pour lui dire qu'ils vendaient leur maison. Et aujourd'hui, à quarante-trois ans, je pense qu'il regrette d'avoir laissé son emploi de professeur pour se lancer dans l'agriculture.

— En tout cas, moi je ne le comprends pas. Il n'a jamais voulu prendre la relève de ses parents quand il était jeune et là, il y retourne !

— Dans le temps, c'était pour tenir tête à son père... à notre père.

— Oui, mais il me semble que quand tu es rendu à quarante ans, laisser ta job à la Commission scolaire pour aller relever une terre, moi, j'y aurais pensé deux fois.

— Oui, et il m'a dit que s'il ne trouvait pas un engagé d'ici l'automne, il remettrait la terre et la maison à vendre.

— Est-ce qu'il veut revenir habiter par ici ?

— Il ne m'en a pas parlé. Tu sais, Mélanie a onze ans. Elle a encore beaucoup besoin de son père, mais pas comme quand elle était au berceau. S'il ne déménage pas ici à Contrecœur, ils vont toujours se rejoindre quand même. Que ce soit à Pâques, à Noël ou aux vacances d'été...

— Et toi, ça se passe comment dans ton cœur ?

— C'est sûr que ça fait drôle de le voir à Louiseville, mais c'est la vie, hein ?

— Est-ce qu'il t'a appelé pour te souhaiter bonne fête au moins ?

— Oui, il m'a appelé ce matin.

— J'espère bien, c'est pas à tous les jours qu'on a quarante-cinq ans, hein ?

— Ça se peut-tu, quarante-cinq ans ! Et dire que voilà dix ans, on parlait qu'on était trop jeunes pour avoir des rides et tout le tra la la qui vient avec. T'en souviens-tu quand on avait parlé de ça au jour de l'an 77 ?

— Oui, mais aujourd'hui, on est encore deux belles filles, ma vieille. Les rides, on a laissé ça pour les autres…

— Mais c'est certain que si Charles était descendu pour ma fête…

— Bla bla bla… Je t'invite à souper avec Mélanie, ok ?

— Ah oui ?

— Bien là, tu n'es pas pour te faire à souper toi-même le soir de ton anniversaire de naissance !

— Tu es bien fine Solange. Sais-tu que quand je te dis que Charles aura été pour moi le seul amour de ma vie, je suis consciente aussi que tu es ma meilleure amie et que tu n'es jamais sortie de ma vie, toi…

— Voyons Anne-Marie… Bon, je vais y aller moi, si je veux préparer le souper.

— Qu'est-ce que tu me feras de bon pour souper, ma Solange ?

— T'es curieuse toi! C'est un secret, ma vieille. La seule chose dont je peux t'assurer, c'est que ce ne sera pas de la galette de sarrasin.

— Oh!... tu t'en souviens de ce soir-là, Solange?

— Comme si c'était hier... Et puis, je peux te le dire, ce sera des fettuccinis à la sauce rosée, car pour moi tu reflètes l'image d'une rose épanouie malgré les déceptions qui ont pu passer dans ta vie.

Le souper d'anniversaire fut délicieux et très animé vu que les deux enfants attablés racontaient des anecdotes et des histoires sans queue ni tête. Les parents se demandaient bien où ceux-ci pouvaient les avoir puisées.

Au dessert, Mélanie sortit de la petite cuisinette avec le gâteau illuminé d'une vingtaine de bougies sur lequel Solange avait inscrit en glaçage rose « Bonne fête ma vieille ». Le jour de sa naissance, Mélanie était arrivée avec des cheveux blonds légers comme de la soie et des yeux couleur d'acier. Aujourd'hui, à onze ans, au-dessus de la valse des chandelles, on ne voyait que deux belles prunelles marron dans un visage encadré d'une longue chevelure d'un brun encore plus sombre que celle de son père. Physiquement, elle ressemblait beaucoup à son père mais, intérieurement, sa mère lui avait légué une belle sensibilité et une féminité naissante.

À neuf heures, Anne-Marie était de retour à la maison très heureuse et émue du geste de son amie Solange. Cette dernière lui avait permis de fêter ses quarante-cinq ans, même si, en l'absence de Charles, la nostalgie l'avait emporté.

Du grenier de mademoiselle Pétronie, où rien n'avait été déplacé depuis plusieurs années, on ne verrait pas d'orage, car ce soir le ciel était clair et constellé d'étoiles s'étalant à l'infini.

Dans le coffre de cèdre, elle ne trouva que de vieux vêtements miteux, une robe en tricot de soie rose décorée de paillettes argentées, sans doute la grande mode durant les années folles. Aussi, elle était tombée sur un élégant chapeau de velours bleu nuit, garni de perles de verre qu'elle déposa sur la tête de mademoiselle Pétronie, sans doute heureuse de dissimuler son petit crâne aux cheveux manquants. Dans la maison de poupée, tous les petits meubles de bois, fabriqués par des mains adroites, retrouvèrent leur teinte d'origine après qu'Anne-Marie les eut dépoussiérés. Elle posa son regard sur le vieux banc de piano où reposaient, dans leur écrin rose, les lettres ficelées de rubans violets usés par le temps. Elle se dit, non, je ne peux pas faire cela... c'est sûrement des secrets que tante Rosalie n'aurait voulu dévoiler à personne, même si elle n'est plus de ce monde. Elle prit délicatement les enveloppes fragiles et poussiéreuses entre ses mains tremblantes pour les jeter dans le brasier du vieux poêle. Mais le ruban violet se brisa et les lettres s'étalèrent sur le sol. L'une d'elles se coinça dans l'une des rainures des planches grinçantes du grenier. Anne-Marie put alors lire ces mots, tracés d'une écriture soignée : « Marie-Anne Jolicoeur ».

Ma tendre fille,

Je ne sais pas quelle année il est présentement dans ta vie. Moi, je suis en 1945 et cela fait déjà trois longues années que je suis séparée de toi.

Cette lettre que je t'écris, je vais l'envoyer à ma sœur Rosalie, qui reste dans la ville de Contrecoeur, car j'espère qu'un jour, si Dieu le veut, un être cher te la remettra en mains propres. Sinon, quand tu arriveras aux portes du ciel, je prierai un ange de te guider vers moi, si telle est notre destinée.

Si aujourd'hui cette lettre est entre tes mains, c'est que ton frère Charles te l'a remise et qu'il t'a tout raconté au sujet de ma vie de misère auprès de ton père Delphis.

Pourquoi je t'écris si tôt en 1945? C'est que je ne sais pas combien de temps je vais rester sur cette terre qui est, pour moi, un enfer de tous les jours.

Je n'irai pas par quatre chemins, car tu es ma fille bien-aimée et tu as le droit de connaître toute la vérité.

Quand tu es née, le 8 octobre 1942, et je te répète ce que ton frère t'a sans doute déjà expliqué, s'il est parvenu à te retrouver, tu as été adoptée le 10 octobre et tes parents adoptifs de Trois-Rivières sont Jean-Paul et Françoise Sirois. Et pourquoi Charles n'a pas pu te donner les noms de ceux-ci?

C'est que dans la lettre que je vais lui écrire et qu'il ne recevra que le jour de mon décès, je lui révélerai ton existence. De plus, pour être assurée qu'il essaiera de te retrouver, il ne fallait pas qu'il sache qu'il n'est pas ton frère de sang. Sinon, il ne t'aurait probablement pas recherchée avec autant d'ardeur.

— Quoi?

À la suite de ta naissance, j'ai eu des complications et mon docteur m'avait fortement conseillé de ne plus avoir d'enfants car j'aurais pu y laisser ma vie en accouchant. Nous avons alors décidé ton père et moi d'adopter un petit garçon. Charles est né à Sainte-Ursule, un petit village tout près de Louiseville, le 24 décembre 1943, et son nom à la naissance était Christophe Gagnon. On l'a fait baptiser à l'église Saint-Antoine de Padoue le 27 décembre.

Je ne sais pas si tu as une vie heureuse au moment où tu lis cette lettre car, pour moi, tu n'as que trois ans. Mais je souhaite de tout mon cœur que Charles t'ait retrouvée et que maintenant vous soyez au courant tous les deux et que vous alliez quand même perpétuer l'amour qui vous unit en tant que frère et sœur, même si la vérité a sûrement dû vous surprendre et même vous chavirer.

J'aimerais tant que Charles reste dans ta vie pour te protéger, mon enfant! S'il te plaît, même si j'ai eu la chance de voir grandir Charles à mes côtés, dis-lui pour moi que je l'ai aimé de tout mon cœur comme mon vrai fils tout comme je t'ai aimée, ma tendre fille qui me manque à m'en déchirer les entrailles.

Aujourd'hui, tu as 3 ans et je te souhaite un joyeux anniversaire de naissance, et je répète ce vœu pour chaque année de ta vie, en attendant que Dieu nous réunisse à tout jamais dans son paradis.

Ta mère, Madeleine, qui t'aime à l'infini.

Louiseville, le 8 octobre 1945.

— Non et non! Je vais mourir! Et tu me souhaites bonne fête! J'ai quarante-cinq ans maman, pas trois! Ça fait quarante-deux ans que tu as écrit cette lettre-là! Pourquoi n'as-tu pas dit à tante Rosalie de donner cette lettre à Charles en même temps que l'autre, la journée de ton service, celle où tu lui apprenais que j'étais sa sœur ? C'était faux ! Et tu as détruit ce qu'on avait de plus beau au monde ! On s'aimait comme des fous ! Et à ta petite-fille Mélanie, comment lui expliquer, entre la terre et le ciel, que son père et sa mère se sont séparés par ta faute ? Tout le monde ici-bas pense que nous nous sommes quittés parce qu'on était trop différents, ce n'était pas vrai ! On était le couple le plus heureux de la terre ! Maintenant, je comprends pourquoi Charles t'a laissée te décomposer sous les mauvaises herbes au cimetière, c'est bien tout ce que tu mérites !

Jamais je ne te pardonnerai de ne pas avoir remis cette lettre à Charles ! Et le berceau, le joli petit berceau qui est devenu celui de ta petite-fille, tu peux me croire qu'il va débouler les marches du grenier assez vite !

Jamais je ne te pardonnerai ce que tu nous as fait, jamais tu m'entends ? Et puis, à bien y penser, je devrais regarder par terre au lieu de regarder au ciel quand je te parle, car après ce que tu as fait, tu as dû être envoyée directement en enfer.

Et je n'ai pas fini maman ! Est-ce toi qui vas sortir de ton enfer pour expliquer à Charles qu'il n'était pas ton vrai fils ? Non, ne te dérange pas, c'est moi qui vais lui dire. Tu peux rester là avec le diable parce que c'est la place qui te revient de droit.

Et aussi, si j'avais pu être mise au courant à ma naissance que tu étais aussi cruelle, je t'aurais demandé moi-même de me donner en adoption, sauf que j'aurais choisi moi-même mes parents adoptifs.

Chapitre 25

L'IMPASSE

JUSQU'À CE QUE LE SOLEIL SE LÈVE, Anne-Marie était demeurée près du vieux poêle, tenant la lettre de Madeleine serrée entre ses mains, tandis que les autres, adressées à tante Rosalie, s'étaient volatilisées dans les flammes sans être lues, même si elle se doutait bien que ces lettres parlaient d'elle et de Charles.

Pendant toute son existence, elle avait cherché un sens à sa vie, mais malheureusement, à part le chemin qu'elle avait elle-même dessiné pour Mélanie, personne ne lui avait tracé d'itinéraire.

Jour après jour, elle avait essayé de tirer un trait sur son passé, mais en vain… celui-ci venait encore la tourmenter. Durant dix ans, elle avait su se ménager certains moments de bonheur, mais voilà que la douleur venait à nouveau assombrir ces quelques instants heureux.

Un jour, le curé Forcier avait dit à ses paroissiens : « Semez du bon grain, faites confiance à la vie, laissez le temps faire son œuvre et Dieu vous récompensera. Le plaisir se vit, la joie rejoint toutes les âmes, mais le bonheur, si vous ne faites pas d'efforts pour le cultiver, ne poussera pas tout seul. Et surtout, ne tentez pas d'éviter les épreuves qui vous seront imposées, car, tout comme les cailloux qu'on ne prend pas la peine de nettoyer du chemin, tôt ou tard, elles reviendront vous hanter et vous feront trébucher. Et n'oubliez surtout pas qu'il y a toutes sortes de gens dans la création du père, ceux qui donnent l'impression d'être heureux mais ne le sont pas, car dans leur vie ils ont brûlé trop d'étapes. Et les autres, réellement heureux, qui aujourd'hui récoltent un bonheur cultivé prudemment. Et je le répète, sachez que pour atteindre ce bonheur il vous faudra traverser la douleur, comme on ne peut atteindre les rayons du soleil sans d'abord avoir cheminé dans la nuit. »

Sans vous manquer de respect monsieur le curé, le Tout-Puissant a oublié de me mettre sur la liste de ses croyants exaucés. Et que Dieu vous bénisse, Amen.

— Anne-Marie, qu'est-ce qui s'passe ?

— Je veux mourir Solange !

— Oh non ! C'est Mélanie ?

— Non ! Mélanie est chez Marie-Ève.

— Es-tu malade ?

— Non... oui... je suis malade dans mon cœur, Solange !

— C'est Charles qui t'a fait de la peine ?

— Non, c'est sa mère...

— Elle est morte seigneur de Dieu, comment a-t-elle pu te faire de la peine comme ça ?

— Tiens, lis ça, tu vas tout comprendre.

— Mais, c'est une lettre que tu as prise dans ton grenier ? Où sont les autres ?

— J'ai juste lu celle-là. À ce que tu vois, c'est bien écrit Marie-Anne Jolicoeur sur l'enveloppe ?

— Oui oui, Anne-Marie...

— Alors, tu peux la lire, elle est à moi. Les autres, je les ai toutes brûlées cette nuit.

Pendant que Solange parcourait l'écriture de Madeleine en s'arrêtant sur chaque ligne pour bien comprendre chacun de ses mots, Anne-Marie s'était installée à ses pieds.

— Toutes ces années perdues Anne-Marie ! Mais, sais-tu que c'est merveilleux !

— Quoi ? Qu'est-ce qu'il y a de merveilleux Solange ?

— Anne-Marie ! Vous allez pouvoir vous aimer jusqu'à la fin de vos jours !

— Voyons Solange, arrive dans la réalité, ça fait déjà douze ans ! On ne retourne pas en arrière après avoir vécu autant d'échecs !

Solange se mit à secouer les épaules d'Anne-Marie.

— Hey, réveille ! Je t'ai dit que vous êtes maintenant libres de vous aimer toute votre vie ! Prends ta clé et débarre la porte de ta cage, seigneur de Dieu !

— Il est trop tard Solange, il a coulé trop d'eau sous le pont. On ne refait pas sa vie après avoir passé autant d'épreuves, ce serait au-dessus de mes forces. Oh... pourquoi notre mère a-t-elle pu être aussi méchante ?

— Écoute, écoute-moi !

— Oui...

— Elle a raison Madeleine dans sa lettre...

— Es-tu aveugle, toi ? Elle a tout brisé !

— Non, je ne suis pas de ton avis, moi. Elle a tout simplement voulu que vous vous rejoigniez en tant que frère et sœur, et moi, je trouve qu'elle a bien fait de ne pas dire à Charles qu'il avait été adopté. C'est vrai qu'il n'aurait jamais cherché à te retrouver, car s'il avait su qu'il n'y avait aucun lien de parenté avec toi, vous ne vous seriez jamais rencontrés, et Mélanie ne serait pas de ce monde aujourd'hui.

— Oups... j'arrive au mauvais moment, je pense, moi? Ça va Anne-Marie? Est-ce que c'est Mélanie?

— Non Mario, c'est ma mère qui est sortie de l'enfer hier soir pour me mettre en miettes.

— Hein? Petit péché que des fois le monde est injuste! Pauvre toi... Regarde Solange, je vais amener Benjamin avec moi au Canadian Tire, j'ai besoin de nouveaux es-suie-glaces, et en même temps, je vais lui acheter son jeu de Monopoly qu'il me demande depuis des semaines...

— C'est correct, faites attention en auto. Vas-tu lui dire à Charles, Anne-Marie?

— Est-ce que j'ai le choix? Me vois-tu lui dire qu'il s'appelle Christophe Gagnon, toi?

— Ouf...

— C'est ça Solange, ouf... ce n'est pas le fils de Madeleine et moi je n'ai aucun lien de parenté avec lui, et je suis la fille légitime de sa mère qui n'est pas du tout la sienne.

— Ça va être un coup dur pour lui, c'est vrai. Mais après que la poussière sera retombée, tu ne penses pas que vous allez pouvoir vous retrouver comme avant tous les deux?

— Non Solange...

— Tu ne l'aimes plus?

— Oui, je l'aime...

— Mais?

— On ne pourra jamais reprendre une vie normale. Mélanie a juste onze ans, comment on pourrait lui expliquer tout ça ? Non, ce serait trop. On va continuer chacun notre route en tant que ses deux parents, mais sans reprendre ensemble, ce sera mieux pour tout le monde.

— Anne-Marie, Charles est son père ! Il n'y a rien à lui expliquer, seigneur de Dieu ! Et tu n'es pas obligée de tout lui dire non plus ! Tu peux la laisser grandir un peu, non ?

— Regarde Solange, on dit qu'on ne peut recoller un vase cassé. Et dire que jusqu'à maintenant, j'ai vécu avec sur ma conscience que Charles en plus d'être le père de Mélanie, il était aussi son oncle. Je ne pourrai jamais revenir en arrière Solange et faire comme si rien ne s'était passé.

— Vas-tu aller le voir à Louiseville ?

— Je n'ai pas le choix, hein ! Si je ne lui dis pas, je vais l'avoir sur ma conscience jusqu'à ma mort.

— Pauvre toi et tu vas lui dire quand ?

— Je ne le sais pas… je ne le sais pas…

Déjà le mois de mars et Anne-Marie ne s'était toujours pas libérée de son secret. Elle avait tout simplement décidé de le laisser traîner derrière elle au milieu du chemin où se retrouvaient des centaines de cailloux oubliés. Elle avait aussi décidé d'entreprendre une toute nouvelle vie. Premièrement, elle voulait construire un mur entre Louiseville et Contrecoeur en s'efforçant de ne pas le franchir, sauf si c'était pour Mélanie. Deuxièmement, quand Charles visiterait Mélanie dans le rang du Ruisseau, celle-ci serait absente à chacune de ses visites.

Oui, selon elle, la meilleure façon de ne blesser personne autour d'elle était de ne pas ramasser les pierres qu'elle avait laissé traînailler derrière elle.

« De toute façon, j'ai vécu dans une carrière toute ma vie, cela m'apporterait quoi de mieux aujourd'hui ? »

— Maman, où vas-tu ?

— Je vais chez la coiffeuse ma cocotte…

— Et papa ? Tu sais qu'il va être ici dans une heure ? Tu vas le manquer !

— Je n'ai pas le choix Mélanie, mon rendez-vous est à dix heures. C'est à Sorel, et il faut que je prenne le temps de m'y rendre, il est déjà neuf heures et quart ! Dis-lui bonjour de ma part, d'accord.

— D'accord, mais il va être déçu.

Au salon de coiffure Guy de Verchères sur la rue Georges à Sorel, Anne-Marie était bien déterminée, ses longs cheveux roux aux reflets d'acajou subiraient une métamorphose.

— Madame ! Vous ne pouvez pas faire ça ! Vous n'aimez pas mieux y penser avant ? Je pourrais juste vous les rafraîchir et vous faire un brushing le temps que vous y pensiez sérieusement ?

— Bien non Marguerite, personne ne pourrait me faire changer d'idée, même pas ma coiffeuse. Bon, qu'est-ce que tu me suggères ?

— C'est sûr que les cheveux longs plaisent beaucoup aux hommes, mais...

— C'est justement Marguerite, mon but n'est pas de plaire aux hommes, je veux me plaire à moi-même avant tout.

— Je sais bien Anne-Marie, mais j'ai peur que vous le regrettiez après ! Des cheveux, ça ne se recollent pas, vous savez ?

— Bien oui ! Écoute Marguerite, si cela te fait trop de peine de mettre les ciseaux dedans, je peux prendre une autre coiffeuse. Tiens, regarde Réjeanne, vu qu'elle a une belle petite coupe à la mode, elle voudra peut-être me faire la même que la sienne ?

— Bon bien, je viens de comprendre que vous êtes bien décidée. Vous savez que les cheveux courts sont autant d'entretien que les cheveux longs, sinon plus. On pourrait commencer par une coupe au carré avec une permanente légère juste pour leur donner un peu plus de volume.

— Tu penses ?

— Cela fait combien d'années que vous avez les cheveux aussi longs, Anne-Marie ?

— Oh ! au moins dix-huit ans.

— Oh la la ! bon, allons-y... Comme je vous disais tantôt, vous avez les traits fins et vous pourriez essayer une coupe au carré, quelque chose de moins radical. Vous pourriez ainsi garder pleine longueur sur la nuque, sur le devant et sur les côtés par exemple. Et quand vous vous sentirez prête, vous pourriez aller plus loin et les faire couper plus court.

— Sais-tu que ce n'est pas fou ce que tu dis là !

— Mais je suis là pour que mes clientes ne regrettent pas leur décision, Anne-Marie. C'est sûr que vous pouvez les avoir courts vos cheveux, mais je vous conseille vraiment d'y aller par étapes.

— Comme les cailloux…

— Hein ?

— Oublie ça Marguerite, je me comprends.

Chapitre 26

Le Château

— Regardez madame Martin, ce livre-là, je l'ai réservé ça fait déjà deux semaines et ce matin, vous m'informez que vous ne l'avez pas ?

— Écoutez monsieur Talbot, la personne qui devait me le rapporter hier m'a appelée pour me dire qu'elle était malade et qu'elle ne pouvait pas se déplacer.

— Vous auriez pu aller le chercher ?

— Monsieur Talbot, je suis bibliothécaire, je ne suis pas une messagerie ! Dès que ce livre sera rentré, je vais vous téléphoner.

— Et que ce n'est pas drôle de faire affaire avec du monde incompétent !

— Je vous demande pardon ?

— Je me comprends.

Solange était rouge écarlate.

— Sainte mère Solange, y a mangé de la vache enragée, lui !

— Je ne le sais pas Anne-Marie, mais je m'en fiche comme dans l'an quarante. Moi, du monde effronté comme ça... Tiens, je lui souhaite que les ongles lui tombent puis qu'il attrape des poux.

— Oh ! Tu es donc bien sadique ! Pauvre de lui, y va trouver ça dur de ne pas pouvoir se gratter…

— Ce sera son problème…

— As-tu remarqué aussi comment il a maigri depuis qu'il n'arrête pas de nous casser les oreilles avec son régime ?

— Je n'appelle pas ça maigrir, moi, j'appelle ça se faire sécher pour faire un crucifix, seigneur de Dieu…

— Changement de propos, as-tu lu *Les Pendules* d'Agatha Christie ?

— Non, il est bon ?

— Mets-en !

— Quelle est l'histoire ?

— Naturellement, c'est encore une intrigue avec le détective Hercule Poirot…

— Et les pendules ?

— C'est Sheila Webb, une sténodactylo qui est envoyée en mission chez miss Pebmarsh, et quand elle arrive dans le salon de cette mademoiselle Pebmarsh, c'est rempli de pendules et elle trouve un cadavre sur le plancher.

— C'est tout ?

— Bien attends ! Le pire, c'est que cette miss Pebwash, qui était aveugle, venait d'arriver de faire ses commissions et qu'elle a presque marché dessus.

— Ouache !

— Ce n'est pas ton genre de lecture ma Solange, c'est loin de tes petites histoires à l'eau de rose…

— Ouin…

— Mon Dieu, tu as donc bien l'estomac fragile, ma Solange !

— Oh ! Excuse-moi, je pensais encore à ce gros chia-leux...

— Oh Solange !

— Mon Dieu, as-tu vu un ours tu es toute blanche ?

— Je vais aller aux toilettes, moi...

Anne-Marie s'était faufilée presque en courant entre deux allées de livres.

— Bonjour madame...

— Monsieur... je peux vous aider ?

— Oui peut-être... Mademoiselle Sirois ne travaille pas aujourd'hui ?

— Oui oui, je vais aller vous la chercher, elle est dans la salle de visionnement, je crois. Donnez-moi deux minutes, s'il vous plaît.

— Merci madame, c'est gentil...

— Anne-Marie ?

— Oui ?

— Veux-tu bien me dire pourquoi tu te caches comme ça dans les toilettes, toi ?

— Je le connais ce gars-là !

— Puis ? Là, tu fais pareil comme moi quand j'ai vu Mario au Mail Champlain ! Veux-tu bien me dire...

— C'est un monsieur que j'ai rencontré à Sorel quand je suis allée chez la coiffeuse.

— Et il t'a trouvée tellement belle avec ta nouvelle coupe de cheveux qu'il t'a cruisée ?

— Ne dis pas de niaiseries Solange ! Nous avons juste jasé.

— Sainte, vous avez jasé pas mal pour qu'il vienne jusqu'à ton travail ! Au salon Guy de Verchères, ils coupent les cheveux des hommes aussi ?

— Non non… je l'ai rencontré au restaurant Prince Pizzeria…

— Et ?

— Il m'avait dit qu'il viendrait se choisir un livre et moi je lui ai dit tout simplement que je l'aiderais à choisir.

— Puis, asteure qu'il est devant toi, tu te caches ? Regarde ma vieille, on ne change pas de cheval dans le milieu de la côte. Cela fait que tu vas retourner au comptoir pour le servir, d'accord ?

— Je n'ai comme pas le choix, hein ?

— C'est cela ma chère.

Anne-Marie sortit de la salle de bain, et en se retrouvant devant Gilbert, elle s'était mise à bafouiller.

— Bonjour Gilbert, quelle bonne surprise ! Vous n'allez pas bien ? Je veux dire, vous allez bien ?

— Oh oh… en effet, je n'allais pas bien quand je suis arrivée, mais présentement, je peux dire que je me porte à merveille Anne-Marie…

— Vous vous êtes choisi un livre ?

— Non pas vraiment, à vrai dire, je ne connais pas beaucoup d'auteurs…

— Je pourrais vous aider à choisir si vous voulez ?

— Vous auriez le temps ?

— Bien oui, c'est mon travail… Vous avez un penchant pour quel genre de littérature ?

— Toute une question Anne-Marie, il y a bien longtemps que je n'ai pas tenu un livre dans mes mains…

— Quand vous lisiez, vous lisiez des biographies, des romans policiers, des livres québécois ou bien de psychologie ?

« Et voilà, je répète encore les mêmes questions que j'avais posées à Charles la journée de notre rencontre ! »

— Peut-être que j'aimerais du québécois ou bien du policier ? Non, pas du policier. Vous comprenez qu'avec mon métier...

— Bien oui. Y aurait *Monsieur Melville* de Victor-Lévy Beaulieu, c'est une trilogie.

— Oui, peut-être, j'ai déjà lu de lui *Race de Monde* et j'avais bien aimé... Oui, je vais prendre celui-là... Et si je vous racontais le premier chapitre de mon roman ?

— Pardon ?

— Écoutez bien... Un jour, au restaurant Prince Pizzeria, un homme gentil, non très gentil et attentionné, aida une jolie jeune femme à faire ses mots croisés en lui disant que le nom du versant d'une montagne se nommait « ubac ».

— Hi hi...

— Attendez, je suis rendu à mon deuxième chapitre !

Anne-Marie venait de perdre son teint de pêche tellement la gêne s'était emparée d'elle.

— Je continue... À la suite de l'aide de ce charmant jeune homme, la jolie femme lui offrit une gomme à mâcher Dentyne.

— Oh ! Vous me mettez mal à l'aise, Gilbert...

— Mais non, mais non... Est-ce que je pourrais me permettre de vous inviter à souper samedi soir Anne-Marie ?

— Je ne sais pas trop...

— Vous me feriez un grand plaisir...

— Et votre…

— Ma femme ? Tout est réglé, c'est pour cela que j'ai attendu trois longues semaines interminables avant de venir vous rendre visite. Je n'aurais pas voulu vous inviter avant d'être libéré de mes engagements.

— Oh, je vois… Et tout s'est bien terminé avec votre femme ?

— Oui oui, elle va garder les enfants pendant la semaine et je vais les prendre avec moi une fin de semaine sur deux.

— Ils ont quel âge vos enfants ?

— J'ai un grand garçon de 17 ans, Jean-Philippe, il suit son cours au cégep juste ici en face. Ensuite, il y a Maude, quatorze ans, qui va à la polyvalente Bernard-Gariépy et ma petite grenouille, Marie-Josée. Elle a onze ans et elle est en sixième année.

— Vous avez beaucoup de responsabilités.

— Oui, et je suis bien heureux d'être là pour eux.

— À ce que je vois, vous êtes vraiment un père modèle.

— Je n'ai pas de mérite Anne-Marie, c'est eux qui me rendent la vie aussi belle. Et puis, notre petit souper ?

— D'accord, mais je voudrais que…

— Que je ne prenne pas ça comme un souper d'amoureux ?

— C'est ça… J'ai de la difficulté à dire directement ce que je pense, désolée…

— Souvenez-vous bien que les plus belles paroles que peut dire un être humain, ce sont celles qui viennent directement de son âme.

Quand Anne-Marie retourna à l'arrière du comptoir, Solange feignit d'ignorer la conversation qu'elle venait de capter.

— Combien de livres abîmés faut-il descendre au sous-sol Solange pour la vente de la semaine prochaine ?

— Deux boîtes, celles qui sont juste à côté de la corbeille à papier... Et puis ?

— Et puis quoi ?

— Bien là, j'avais bien beau essayer de ne pas vous entendre parler, mais vous étiez quasiment à côté de moi ! Puis, son roman va être édité quand ?

— Quel roman ?

— Celui dont il t'a lu deux chapitres...

— Tu as entendu ça aussi ?

— Je n'étais pas pour aller me cacher dans la salle de bain moi aussi ! Y avait d'autres clients à servir, et toi tu étais trop occupée.

— Je vais dire comme madame Juliette, j'avais le cœur qui me battait comme une pétaque dans un sabot.

— Il te fait de l'effet le beau mâle ! Il ne doit pas être loin de la cinquantaine, si c'est pas un peu plus ?

— Il a juste quarante-huit ans.

— Ah ! Cela doit être ses cheveux gris... En tout cas, il est beau bonhomme.

Le vendredi suivant, Anne-Marie avait pris rendez-vous avec Marguerite au salon Guy de Verchères pour rafraîchir sa coupe de cheveux. Par la suite, elle s'était rendue au magasin pour dames Le Chic 80 pour se choisir un nouveau tailleur. Cependant, vu le printemps hâtif, elle avait opté pour une jolie robe de mousseline de couleur ivoire et au magasin de chaussures La Barre, elle recouvrit ses petits panards de délicates sandales blanches aux talons vertigineux. Dans la matinée du lendemain, suite au coup de fil de Gilbert qui l'informait qu'il avait réservé au restaurant Le Château, un restaurant de fine cuisine française aux spécialités normandes situé sur la route Marie-Victorin à Contrecoeur, elle prit un bain rempli d'une mousse parfumée à la lavande. Par la suite, elle prit soin d'enduire son corps d'une crème au lait de chèvre. Assise devant sa coiffeuse en samba, elle se rehaussa le teint d'un léger maquillage, omettant le fard sur les joues pour ne pas masquer ses petites taches de son qui, pensait-elle, ajoutait à sa féminité.

— Maman !

— Oui ma puce...

— Il arrive ton policier !

— Ce n'est pas mon policier Mélanie, c'est un ami...

— D'accord... Wow !

— Tu le trouves beau ?

— Non, c'est son auto que je regardais. Elle est bleue, c'est ma couleur préférée...

— Hi hi...

— C'est un plus vieux monsieur que papa, hein ?

— Mélanie ! Il n'est pas vieux, ce sont ses cheveux gris qui lui donnent un air un peu plus vieux.

— Ah ! Je vais amener Franklin dehors, moi.

— Mélanie, tu ne veux pas que je te présente Gilbert ? Tu pourrais aller promener ton chien après, non ?

À l'entrée de la maison, Gilbert s'attardait un moment pour respirer l'odeur de menthe et d'eucalyptus.

Anne-Marie l'accueillit gentiment en le priant d'entrer pour prendre un apéro et, par la même occasion, lui présenter Mélanie.

— Bonjour jolie demoiselle. Sais-tu, je trouvais ta mère jolie, mais toi tu es vraiment très très jolie.

— Merci monsieur...

— Tu es en quelle année, Mélanie ?

— En sixième à l'école Laplume.

— Ah bien, tu dois connaître ma petite grenouille, elle va à l'école Laplume elle aussi. Elle est dans la classe de sœur Christine, tu la connais ?

— Bien oui, c'est mon professeur !

— Ah bien, ah bien, donc tu es dans la classe de ma fille...

— Peut être monsieur, mais je ne connais pas de grenouille dans ma classe...

— Oh ! ma petite grenouille, elle s'appelle Marie-Josée Sirois.

— Marie-Josée Sirois ? Oui, je la connais, mais je ne lui ai pas parlé souvent.

— Êtes-vous sérieux Gilbert, votre nom de famille est Sirois ?

— Bien oui, vous n'aimez pas mon nom de famille ?

— Non non, ce n'est pas ça, c'est que mon nom à moi, c'est Sirois aussi !

— Non ! Pas vrai ! Je n'en reviens pas ! On est peut-être parent ?

— Je ne pense pas, hum... je suis née à Trois-Rivières.

— Ah… Mais j'ai déjà eu de la parenté dans le coin de Trois-Rivières, mais je ne les connais pas. Mon père est déménagé à Tracy en 1939 quand j'avais deux mois. C'était le frère de mon père qui restait là.

— Ah ! Mais toi Mélanie, tu ne m'as jamais dit ça qu'il y avait une petite Sirois dans ta classe ?

— Bien là maman, des Sirois, y en a partout ! Comme les Tremblay ou bien les Cournoyer !

— Quant à ça… Il s'appelait comment le frère de votre père, Gilbert ?

— Oh la la… Il faudrait que je demande à mon père, vu que je ne l'ai jamais connu, vous comprenez que je n'ai jamais posé de question sur lui. Quand je vais aller chez mon père sur la rue des Muguets, je vais lui demander. Bon bien, il est six heures et demie Anne-Marie, il faudrait penser à y aller, j'ai réservé pour sept heures.

En passant… Vous êtes vraiment resplendissante.

— Oh, merci Gilbert.

— Mon père lui dit à chaque fois qu'il vient nous voir, qu'elle est belle ma mère.

— Mélanie !

— C'est correct Anne-Marie, votre fille a tout simplement dit la vérité, et son père a parfaitement raison lui aussi.

Au restaurant Le Château, le serveur leur avait suggéré un Château Haut-Brion, un cru Bordelais, et ce fut à la lueur des chandelles qu'ils s'étaient délectés d'une soupe de saumon, d'une entrecôte grillée au cœur de camembert et, pour dessert, d'une chartreuse aux pommes et aux abricots. Gilbert était très élégant, vêtu de son costume couleur d'acier, et Anne-Marie était d'une féminité époustouflante dans sa robe ivoire.

— Vous êtes belle... une vraie princesse. Parlez-moi de vous Anne-Marie, s'il vous plaît !

— Oh, j'aimerais mieux que vous me parliez un peu de vous, Gilbert...

— D'accord, mais juste un petit peu... Posez-moi vos questions...

— Parlez-moi de vos enfants...

— Pour mes trois petits trésors, je peux vous dire qu'ils sont des enfants que tous les parents de la terre rêveraient d'avoir. Il y a juste Marie-Josée qui est un peu rebelle. Elle n'accepte pas notre divorce.

— Je la comprends la pauvre petite... Peut-être qu'avec le temps elle va agir comme tous les autres enfants qui sont passés par là et s'habituer à cette nouvelle situation...

— Je le souhaite de toutes mes forces, car pour l'instant elle est assez agressive. Pour mon plus vieux, Jean-Philippe, comme je vous l'ai dit, il fait son cours de mécano au cégep et ses passe-temps sont le hockey, le baseball, le basketball, et cela seulement lorsque je le force à sortir pour qu'il lâche son satané jeu de Nintendo.

— Lui aussi vénère Mario Bros et Luigi ?

— Oui, et je suis à la veille de lui confisquer...

— C'est vrai que ce jeu-là prend tout leur temps. Mélanie en a un aussi. Mais je ne vous cacherai pas que quand elle est partie à l'école, moi-même, je peux passer des heures à me pratiquer pour essayer de gagner contre elle, elle est tellement douée...

— Donc, si je comprends bien, vous jouez à Mario Bros en cachette ?

— Chut Gilbert, je veux seulement essayer de gagner une partie...

— Oh oh, vous êtes ratoureuse, vous !

— Je n'ai pas le choix. Au début, quand je jouais avec ma fille, elle me battait toujours à plate couture ! Avec de la pratique, je pourrais lui montrer que je sais bien jouer moi aussi, non ?

— Mais vous savez bien comme moi que ces jeunes-là ne sont pas faciles à battre ?

— Voulez-vous dire que vous jouez au Nintendo vous aussi ?

— Bien oui... C'est plus fort que moi...

— Et votre autre fille, Maude ?

— Maude, c'est une enfant qui adore l'école. Elle n'est qu'au secondaire et elle rêve de se retrouver à l'université, en médecine pour devenir pédiatre.

— Ah oui ! Elle doit aimer beaucoup les bébés pour s'engager dans des études aussi longues ?

— Elle adore les enfants. Et je pense qu'elle a hâte de se marier seulement pour avoir des enfants bien à elle et une vie familiale bien remplie. Et vous, pourquoi ne vous êtes-vous jamais mariée ?

— Incompatibilité tout simplement.

— Tiens donc...

— Quoi ?

— De la façon dont cela est sorti de votre bouche, moi je l'ai entendu comme si vous essayiez de cacher une petite vérité, je me trompe ?

— Mais...

— Ne vous inquiétez pas, je ne vous poserai plus de questions sur un passé qui n'appartient qu'à vous. Ce que je trouve dommage, c'est que vous les avez toujours tassées au fond de vous ces émotions-là, et vous ignorez le grand bien que cela vous apporterait si vous les laissiez s'évader de votre cœur...

— Je comprends votre point de vu Gilbert, mais il faut croire que je ne suis pas encore prête à faire le tri de ces émotions.

— C'est vraiment si terrible, ce que vous avez vécu, Anne-Marie ?

— Oui, c'est ça...

— J'espère bien pour vous qu'un jour tout s'éclaircira, vous le méritez tellement...

— Je l'espère aussi. Je l'espère...

Anne-Marie avait réintégré sa maison à minuit tout comme Cendrillon. Sauf qu'aucun baiser n'avait été échangé dans le carrosse de verre.

Chapitre. 27

RETOUR AU BERCAIL

Avril.

BRUNO ÉTAIT PASSÉ RENDRE VISITE à Anne-Marie pour lui annoncer qu'il avait enfin rencontré l'homme de sa vie. Bien sûr, elle fut enchantée de cette belle nouvelle, mais aussi un tantinet déçue. Car au fond, elle savait bien que son ami espacerait, malgré lui, ses visites dans le rang du Ruisseau.

— Mélanie va se poser des questions Bruno si elle te voit moins souvent... Tu sais, elle t'aime comme si tu étais son vrai oncle...

— Mais, elle va pouvoir comprendre, non ? Tu pourrais lui expliquer ?

— Je vais lui expliquer Bruno, mais pas tout de suite, elle est trop jeune... Et ton ami, Charles-Edouard, il va aller vivre avec toi ?

— Bien non, y a son salon de coiffure sur la rue Sainte-Catherine à Montréal ! Le samedi après-midi, il va monter chez moi où c'est moi qui vais descendre chez lui jusqu'au dimanche soir.

— Et il demeure où ?

— Sur le Plateau Mont-Royal, un maudit beau coin...

— D'accord mais, tu ne penses quand même pas déménager sur le Plateau ?

— Hey Anne-Marie, calme-toi, ça fait seulement trois semaines qu'on se connaît !

— Excuse-moi Bruno, je t'aime tellement, je ne voudrais pas te perdre... Et comment est-il ton amoureux ?

— Oh, premièrement, il est très intelligent et très cultivé. C'est un grand voyageur, il a presque fait le tour du monde.

— Je suis vraiment contente pour toi... Et son physique ?

— Il est grand, il a les yeux verts et ses cheveux sont châtains coupés très très courts, presque rasés.

— Ça fait tout un changement avec ta queue de cheval...

— Bien oui. Des fois, j'ai envie qu'il me coupe mes cheveux aussi courts que les siens, mais il dit que ça lui ferait de la peine parce qu'il aime beaucoup mes cheveux longs.

— Moi aussi, j'aurais de la misère à m'habituer. Depuis que j'ai fait ta connaissance chez ton grand-père Midas, je ne t'ai jamais vu autrement qu'avec ta longue queue de cheval. Ça me ferait tout drôle...

— Mais un jour, il va falloir sortir les ciseaux, je suis quand même rendu à quarante-quatre ans...

— Bien oui, mais Bruno, sainte mère, l'âge n'a pas de rapport, ça te fait bien présentement. À cinquante, ça va être pareil et à soixante aussi...

— C'est ça, à soixante, pourquoi ris-tu ? Tu me vois à soixante ans avec ma queue de cheval ?

— Disons que tu pourrais la faire couper au début de la cinquantaine.

— Oh, ça va être avant ça ma belle amie. Où est ma préférée ?

— Elle est à Louiseville avec Charles, elle revient après le souper.

— Ah ! Et Charles, il n'a toujours pas mis sa maison à vendre ?

— Oui oui, depuis le mois de mars. Mais tu comprends bien que cela peut être un peu long... C'est pas comme une petite maison avec juste une petite cour et quelques fleurs et deux trois arbustes, hein ?

— C'est si grand que ça ?

— Bien oui ! Y a une fraisière, un élevage porcin, et depuis qu'il a racheté la terre, il s'est acheté un cheval. Ne te demande pas pourquoi Mélanie est toujours rendue là, hein !

— Oh la la ! c'est vraiment grand ! Et s'il vend, il veut revenir par ici ?

— Je n'en sais rien... Moi j'aimerais mieux que non, car s'il revenait dans le coin, je le verrais plus souvent et il faudrait probablement que je lui confie des choses qui pourraient lui faire de la peine.

— Que veux-tu dire ?

— Tu connais l'histoire du curé Forcier, l'histoire des petits cailloux ?

— Oui oui, j'étais dans l'église quand il a fait ce sermon-là. Donc, tu as quelque chose de bien important à lui confier ?

— Oui, mais je ne peux pas en parler... en tout cas, pas pour l'instant.

— C'est correct Anne-Marie... Un jour tu vas lui dire...

— C'est cela... Oups le téléphone, peux-tu répondre le temps que je me lave les mains, j'ai plein de terre noire entre les doigts ?

— Oui oui... Allo ?

— Désolé, je voulais parler à mademoiselle Sirois. Je dois avoir fait un mauvais numéro.

— Non non, c'est bien ici... c'est de la part de qui, monsieur ?

— Voyons Bruno, hi hi... tu es donc bien indiscret !

— C'est Gilbert Sirois.

— Très bien, je vous la passe... C'est Gilbert. Est-ce que tu aurais oublié de me dire quelque chose, toi ?

— Mais non. Gilbert, c'est un ami. Je suis allée souper avec lui un soir, c'est tout !

— Et, est-ce qu'il est beau ce Gilbert ?

— Bruno Hamelin ! Reste tranquille, Charles-Edouard ne serait pas content de ton comportement.

— Oui, mère supérieure...

Gilbert avait été convié chez Anne-Marie pour un deuxième souper en toute amitié.

Mélanie était rentrée de Louiseville à cinq heures et Charles avait été ravi d'apercevoir la table dressée pour trois. Mais quelle fut sa déception en apprenant qu'un autre homme que lui y était invité. À la suite de quelques échanges, il reprit la route de Louiseville. Anne-Marie lui avait offert de rester dans l'espoir qu'il rencontre Gilbert, mais il n'avait pas voulu.

Après que Mélanie fut sortie de table pour aller chez mamy Joyal, il discutèrent chaleureusement sans que, dans le ciel bleu clair, aucun nuage gris ne se montre, ni que les rideaux de dentelles blanches ne dansent la valse à trois temps au rythme de la brise d'avril. Gilbert avait quitté Anne-Marie à onze heures en répétant que son gigot d'agneau était parfait.

Et non : il n'y avait eu ni spaghetti ni porto au menu.

Et que Dieu bénisse cette belle soirée d'amitié !

Au début du mois du muguet, où les vents de mai s'en donnent à cœur joie, Anne-Marie avait reçu un appel de Charles qui lui annonçait son soulagement d'avoir vendu de la maison familiale à Louiseville.

— Je suis contente pour toi, Charles… Tu veux déménager dans quel coin ?

— Aucune idée… Cela va dépendre où je vais trouver un poste. C'est certain que j'aimerais revenir à Contrecœur, mais je suis bien conscient que je ne retrouverai jamais une maison comme celle des Hamelin dans le rang du Ruisseau.

Et voilà ! Est-ce que Anne-Marie va lui apprendre que pas plus tard que la veille, les Joyal avaient planté une enseigne des Immeubles Simard devant leur maison, suite au transfert de monsieur Joyal à Rimouski.

— C'est certain Charles que les gens de Mère-Marie-Rose seraient bien heureux de t'engager à nouveau dans leur école. Tu sais que tu étais bien apprécié dans le temps. Et tu pourrais revoir Doris aussi, elle enseigne encore là.

— Ah oui ! Aux dernières nouvelles, elle devait déménager à Magog.

— Bien non, je l'ai vue à la bibliothèque il y a un mois et elle m'a dit qu'elle enseignait encore là, mais plus l'éducation physique, mais bien les mathématiques, aux enfants de première année.

— Dans le même ordre d'idée, Mélanie m'a fait comprendre qu'elle aimerait bien aller à cette école.

— Ah ! Mélanie ne m'a jamais parlé de ça ! Elle m'a toujours dit qu'elle aimait l'école Laplume à Tracy.

— Bien oui, mais si elle avait pu faire sa sixième année à l'école Mère-Marie-Rose, elle aurait été bien contente.

— C'est étrange, elle ne m'a jamais dit ça !

— Elle aime son école Charles, c'est l'autobus qu'elle n'aime pas. Mais comme je lui ai dit, il va falloir que tu te fasses à l'idée ma fille, y a pas de polyvalente à Contrecœur. Si tu veux aller au secondaire, t'auras pas le choix de prendre l'autobus.

— Bon bien… Tu sais que j'aime beaucoup parler avec toi Anne-Marie, mais il faut que je te quitte. J'ai un rendez-vous chez le notaire Comeau pour signer les papiers de la maison.

— Charles…

— Oui ?

— C'est que la maison des Joyal est à vendre depuis hier…

— Hein ? Et c'est maintenant que tu m'annonces ça ?

— Bien oui, mais j'ai vu la pancarte seulement ce matin en promenant Franklin !

— Dis-moi Anne-Marie...Tu n'accepterais pas que je revienne dans le rang du Ruisseau ?

— Tu te trompes, Charles. J'en serais très heureuse pour Mélanie !

— Mais pour toi, tu ne voudrais pas, c'est ça ?

— Ce n'est pas ce que j'ai dit. Regarde, j'aimerais bien qu'on redevienne voisins Charles...

— Tu es sérieuse ?

— Oui, je suis sérieuse. Je suis certaine que tu serais encore un très bon voisin... La seule chose...

— Ne t'inquiète pas mon coeu... Anne-Marie. Je ne serais pas toujours rendu chez toi, Mélanie est assez grande pour venir me voir toute seule. Et je pense que si j'allais chez toi, Gilbert n'apprécierait pas non plus.

— Bien, voyons, Gilbert n'est pas jaloux ! Il sait bien qu'entre nous deux, c'est une relation amicale, de parents qui voient au bien-être de leur enfant !

— C'est ça Anne-Marie, des parents qui voient au bien-être de leur fille... Dis-moi ?

— Oui ?

— Est-ce que tu pourrais quand tu auras une minute, aller prendre le numéro de téléphone de l'agent d'immeubles sur l'enseigne pour que je prenne rendez-vous ?

— Regarde, je l'ai sur un bout de papier ici, c'est Jocelyn Hébert au 742-2224. C'est à Tracy.

— Tu avais déjà tout noté ?

— Ce n'est pas ce que tu penses, Charles... Je l'avais noté pour Marcelle, une répartitrice qui travaille pour la ville de

Tracy. Elle est venue à la bibliothèque et elle m'a dit qu'elle se cherchait une maison. Elle demeure à Varennes et elle veut se rapprocher de son travail.

— Ah bon ! Donc, si je comprends bien, il faut que j'appelle monsieur Hébert au plus vite si je ne veux pas voir la maison me glisser sous le nez, hein ?

— La balle est dans ton camp Charles. Moi, je t'ai donné son numéro de téléphone.

Au mois de juillet, Charles prit possession de cette maison pour la seconde fois. À sa grande satisfaction, rien n'avait changé. Tous ses meubles étaient encore là. Les Joyal, ayant acheté une maison d'un autre style à Rimouski, avaient tout laissé. Il ne restait qu'à aménager une grande patinoire pour Mélanie en vue du prochain hiver.

Madame Tessier, âgée de soixante-sept ans, s'était rendue chez Anne-Marie pour tenter de soutirer des explications.

— Madame Pauline, Charles déménage à nouveau dans le rang du Ruisseau pour reprendre son travail à l'école Mère-Marie-Rose et pour se rapprocher de Mélanie.

— Bien, voyons ma fille, me prenez-vous pour une pas fine ?

— Mais pourquoi vous dites ça ?

— Bien dans ma tête à moi, il est revenu pour vous ! Vous pourriez déménager avec lui non ? Vous savez, on est en 87, j'ai évolué, cibole ! Vous ne seriez pas obligés de vous marier non plus, tout le monde s'accote de nos jours ! Puis, comme on dit, c'est mieux de vivre en concubinage que de se marier. Si un jour prochain vous voulez encore vous laisser, bien vous ne seriez pas pognés avec tous les maudits papiers. Les familles à tuyaux de poêle sont bien mieux de ne pas se marier. Croyez-moi, c'est bien mieux d'être accoté que d'être mal assis.

— Voyons donc madame Pauline, on est les vrais parents de Mélanie ! Et de toute façon, je ne reprendrai pas avec Charles, j'ai un copain.

— Bien oui, mais regardez, ça arrive souvent que les parents reviennent ensemble !

— Oui ça arrive, mais pas pour moi et Charles, madame Pauline…

Octobre.

Dans les vergers, les pommes jonchaient le sol de feuilles rougeâtres et dans les potagers ne restaient que quelques citrouilles éparpillées. Charles avait repris son travail à l'école Mère-Marie-Rose et Anne-Marie fréquentait toujours Gilbert à l'occasion. Un soir que celui-ci travaillait à Contrecoeur, il était venu lui rendre visite et madame Pauline était apparue chez elle en coup de vent avec son mari Hubert.

— Cibole, que j'ai eu peur !

— Voyons madame Pauline, les gyrophares n'étaient pas allumés à ce que je sache ?

— Je sais bien mademoiselle Sirois, mais depuis qu'on reste dans le rang du Ruisseau, moi puis mon Hubert, on n'avait jamais vu de char de police… Dis-y Hubert !

— Oui oui, mais on a vu des ambulances en masse, hein Mémène ?

— Oui, la dernière fois, c'est quand ils sont venus chercher Midas Hamelin en pleine nuit… puis en plus, c'était en plein hiver ! Pauvre vieux, il avait levé les pattes bien vite après le jour de l'an.

— Vous ne dormez pas la nuit, vous ?

— Oui, mais je me lève souvent parce que je pogne des crampes dans les mollets, ça fait mal en christie.

— Et vous faites passer vos crampes en écorniflant dans la fenêtre de votre salon ?

— Bien là, faut que je marche pour faire passer ces crampes-là et je marche dans mon salon. Bon bien, tout est bien qui finit bien. Viens Hubert, on va laisser monsieur Sirois et mademoiselle Sirois prendre leur thé. Savez-vous que si vous vous mariiez tous les deux un jour, y aurait pas grand nom à changer… Bon, viens mon mari !

Madame Pauline sortit agrippée au bras de son grand Hubert, et sous son manteau de drap gris, une jaquette de flanelle rayée de jaune et de bleu pendouillait au-dessus de ses chevilles.

Par chance qu'elle n'avait pas omis de chausser ses bottes de marabout, elle aurait pu prendre froid, avoir des crampes aux mollets et elle aurait marché toute la nuit devant la fenêtre de son salon.

Chapitre 28

Moments blancs

L'hiver serait indulgent d'après le bulletin des agriculteurs, cependant l'accumulation de neige serait plus abondante que la saison précédente. Et en cette nuit du quinze décembre, elle recouvrait le sol d'une généreuse couche épaisse d'au moins un pied. Mélanie avait quitté la maison tôt ce matin pour se rendre chez son père afin de déneiger la grande patinoire tant espérée. Des grosses cheminées de pierres s'élevait une fumée blanchâtre, et un arôme de cannelle et de girofle embaumait les cuisines car les préparatifs des fêtes étaient déjà commencés.

— Allo ?

— Allo Anne-Marie, c'est Charles…

— Oui… Mélanie est encore avec toi ?

— Oui oui, on vient juste de rentrer, la patinoire est terminée.

— Elle doit être contente, la puce ?

— Bien oui. Écoute, j'ai mis nos mitaines et nos tuques dans la sécheuse et quand tout va être sec, je vais l'amener avec moi au Canadian Tire pour lui acheter des nouveaux patins.

— Mais elle en a des patins !

— Oui, mais ils sont beaucoup trop petits, elle va se geler les pieds tout l'hiver, la pauvre petite !

— D'accord, mais tu me diras combien ça va coûter, je te les rembourserai à votre retour de Sorel.

— Écoute, est-ce que je peux faire un cadeau à ma fille de temps en temps, Anne-Marie ?

— Bien oui !

— Bon… En même temps, je veux te dire que c'est moi qui reçois pour le réveillon, à Noël, cette année.

— Ah oui ! Mais…

— Ne t'inquiète pas, Gilbert sera le bienvenu aussi.

— Ah bon ! Et tu veux inviter qui ?

— Solange avec Mario, Benjamin et Lorie, Bruno…

— Mais, c'est que Bruno est avec Charles-Edouard…

— Je vais l'inviter avec Charles-Edouard, c'est tout ! Je pensais inviter les Tessier aussi, qu'est-ce que tu en penses ?

— Je pense que c'est une bonne idée, à moins qu'ils aillent fêter chez Mariellle ou Nicole à Boucherville. Tu fais le souper ou le réveillon ?

— Le réveillon. On est plus dans l'ambiance la veille au soir.

— Tu as raison ! En plus à la messe de minuit à l'église Sainte-Trinité, y a toujours une crèche vivante.

— Ok pour le 24 au soir alors !

— Mais, tu vas tout cuisiner le repas toi-même ?

— Mais oui, douterais-tu de mes talents culinaires ?

— Tu sais bien que non, Charles. Mais si tu veux, je vais t'apporter deux tourtières…

— Hum, ça sent déjà bon.

— Bon bien, je te remercie pour les patins de Mélanie... Je vais te laisser, je dois aller me préparer, Gilbert vient me chercher à deux heures pour aller faire des courses aux Promenades Saint-Bruno. Est-ce que Mélanie va être revenue pour dîner ?

— Je vais la garder avec moi si tu veux. Je m'occuperai d'elle pendant que vous êtes à Saint-Bruno.

— Elle ne veut plus venir avec nous ?

— Elle m'a dit qu'elle aimerait mieux rester ici cet après-midi. On a prévu de construire un grand banc de glace au bord de la patinoire.

— Quelle bonne idée !

— Bien oui, et j'espère que tu vas venir patiner toi aussi ?

— Je ne sais pas trop...

— Je veux dire, j'espère que tu vas venir patiner avec Gilbert.

— On verra Charles, on verra...

— Ah oui, j'ai une question pour toi pendant que Mélanie est partie dehors.

— Oui ?

— Notre grande fille va avoir douze ans en mars. Tu ne penses pas qu'il serait temps de tout lui expliquer pour nous deux avant qu'elle rencontre un garçon ? On sait tous les deux qu'elle ne pourra pas avoir d'enfants. Là, tout va bien, elle est au courant que je suis son père, mais elle ignore que je suis aussi son oncle... tu comprends ? Il ne faudrait pas attendre trop longtemps...

— J'ai peur qu'elle soit bouleversée et qu'elle nous en veuille, Charles ! Comment penses-tu qu'elle va réagir quand elle va apprendre que son père est le frère de sa mère ?

— Pauvre chouette... Mais, on n'a pas le choix Anne-Marie... on n'a pas le choix...

Et vlan ! La pierre devenue trop lourde demandait à reprendre sa place sur le chemin.

— Charles, bientôt je... Oui bientôt, je vais te parler de quelque chose...

— Quoi ?

— Une... une lettre...

— Quelle lettre Anne-Marie ?

— Une lettre que j'ai trouvée dans mon grenier. Elle était avec les lettres de tante Rosalie...

— Non ! Pas les lettres qu'elle cherchait depuis qu'elle avait déménagé à Boucherville ? Les lettres que Madeleine lui avait écrites avec celle de 1945 qui était pour toi ?

— Tu le savais que Madeleine m'avait écrit une lettre, toi ?

— Oui, mais tante Rosalie m'avait fait promettre de ne pas te le dire en 1974...

— Mais pourquoi ?

— Parce qu'elle pensait que mon oncle André les avait jetées dans le déménagement, et si tu avais été mise au courant, tu aurais été trop déçue de ne pas la lire...

— Ah ! Et tu penses que j'ai eu une grande joie quand je l'ai lue cette lettre-là, Charles ?

— Mon Dieu, Anne-Marie. Qu'est-ce qu'il y avait d'écrit dans cette lettre pour que tu sois si bouleversée ?

— Ça ne servirait à rien Charles de t'en parler, je ne pense pas que cela changerait quoi que ce soit...

— Mais Madeleine t'a fait de la peine pourquoi ? Elle n'en a pas assez fait le jour de son enterrement quand tante Rosalie nous a donné sa lettre ? Par chance qu'on a connu notre grand-mère Bernadette avant qu'elle ne meure. Au moins, elle nous a aimés toute sa vie même si on n'était pas à ses côtés !

— Oui, une chance qu'on lui a parlé à mamy Bibianne… Là, tu vas te calmer, ça ne sert à rien de t'emporter comme ça…

— Mais, tu vas me la montrer quand cette lettre-là ?

— Après les fêtes, si tu veux…

— Pourquoi pas aujourd'hui ?

— Parce que je ne peux pas… Au printemps, je te promets de te la faire lire. En attendant, j'aimerais qu'on mette cette discussion de côté, s'il te plaît.

— D'accord, mais une promesse est une promesse, Anne-Marie.

Le soir du 24, dans la fumée des encensoirs de l'église Sainte-Trinité, un petit veau et un agneau réchauffaient l'ange céleste pendant que le chœur interprétait divinement le cantique approprié, *Dans cette étable*. La nef était remplie à capacité, et les derniers arrivés avaient dû se contenter du jubé. Après l'homélie du curé Allard, consacrée une fois encore à la nativité, les chrétiens reçurent l'eucharistie rendue encore plus solennelle par le *Minuit chrétien* interprété sublimement par le ténor de la paroisse, Léopold Grenier.

À une heure, sur le parvis de l'église, à la déception des paroissiens, la neige n'était pas au rendez-vous, bien que, comme pour se faire pardonner, le vent s'évertuait à soulever les derniers flocons fraîchement tombés.

Charles reçut ses invités dans une ambiance de fête. Un immense sapin trônait et embaumait l'intérieur de sa maison et les guirlandes multicolores pendaient au-dessus de chaque fenêtre embuée où Mélanie avait glissé ses doigts pour griffonner un « Joyeux Noël ! ». L'âtre crépitait d'une musique agréable et les invités discutaient, buvant du champagne et grignotant des canapés au bleu et aux olives noires. Charles s'était surpassé. Une table pour huit personnes avait été dressée sur laquelle il avait déposé devant chaque couvert une petite boîte verte entourée d'un ruban rouge retenu par de jolies clochettes dorées. En guise de centre de table, Charles avait tressé deux jolies couronnes à partir de branches de ses magnifiques sapins bleus, et les avait ornées de deux longues bougies cuivrées.

L'arbre fut dépouillé de ses étrennes avant le repas et les trois enfants aux yeux émerveillés furent enchantés d'y découvrir des présents magnifiques. Le festin que Charles avait cuisiné se termina par une généreuse portion de bûche au nougat arrosée d'un porto millésimé et fut louangé par tous.

— Hey les femmes ! Vous êtes mes invitées, vous n'allez pas commencer à laver la vaisselle quand même ?

Et voilà ! Pour une première fois dans le rang du Ruisseau, les cinq hommes venaient d'écoper de la corvée de vaisselle, et les femmes avaient fini par apercevoir le fond de la bouteille de porto. À trois heures, Charles-Édouard avait sorti de son étui sa guitare Yamaha, et à tour de rôle, les invités venaient se poster devant l'âtre endormi pour interpréter un air de circonstance. C'était madame Pauline, dans sa robe mauve à paillettes datant des années quarante, qui avait rallié tous les suffrages avec la chanson de la Bolduc, *Regardez donc mouman.* À cinq heures, les invités avaient commencé à soulager le lit de Charles des lourds manteaux et des chapeaux de fourrure jetés là à leur arrivée et avaient repris les bottes et les par-dessus entassés dans le grand bain aux pattes arrondies y laissant une longue flaque grisonnante.

À tour de rôle, ils avaient remercié leur hôte en le félicitant chaleureusement de son accueil et de cette fête qui serait pour eux inoubliable.

— Tu peux dormir chez moi Gilbert, si tu veux. Tu n'es pas pour t'en aller chez toi à cinq heures et demie du matin. En plus, avec le vent et la neige qui tombe présentement, il doit y avoir beaucoup de poudrerie sur la route.

— C'est vrai ? Tu veux que je dorme chez toi, Anne-Marie ?

— Bien oui. Demain matin, ça va me prendre quelqu'un pour pelleter ma galerie et mon entrée, non ?

— Eh là !

— C'est une farce Gilbert. Tu sais bien que cela va me faire plaisir de t'héberger.

— Ah oui, en passant, je suis allé chez mon père cet après-midi… je veux dire hier après-midi, et je lui ai demandé c'était quoi le nom de son frère.

— Et puis ?

— Il s'appelait Jean-Paul Sirois, mais il est mort avec sa femme Françoise dans un accident de la route à Sainte-Angèle de Laval en 1972.

— Ah bon...

— Cela te dit quelque chose ? Penses-tu qu'on peut avoir un lien de parenté, nous deux ?

— Non, ça ne me dit rien... Mais demain, si tu veux, je vais te raconter une petite histoire. Pas ce soir... Là, si tu veux, je vais te laisser dormir dans ma chambre et moi je vais m'installer sur le divan...

— Mais pourquoi ?

— Je sens que je ne dormirai pas de la nuit avec tout le café que j'ai pu boire... Je ne voudrais pas t'empêcher de dormir.

— Mais tu pourrais t'étendre quand même à côté de moi, je ne m'endors pas non plus ! On pourrait compter les petits moutons ensemble ?

— Non non Gilbert, je sais ce que cela veut dire pour toi de compter les petits moutons, et je suis trop fatiguée.

Anne-Marie se leva à dix heures et en se regardant dans le miroir de son entrée, elle remarqua ses yeux rougis par le manque de sommeil.

— Bonjour Anne-Marie....

— Ah, bonjour Gilbert... Tu as bien dormi ?

— Comme une marmotte ! C'est l'odeur du café qui m'a sorti du lit... je peux ?

— Bien oui, sers-toi, le sucre est dans l'armoire au-dessus de la boîte à pain.

Gilbert s'était installé confortablement près d'elle sur le divan, et quand il s'était approché pour l'embrasser, elle avait baissé la tête pour enlever une mousse imaginaire sur sa robe de chambre bien nouée autour de sa taille.

— Qu'est-ce qu'il y a Anne-Marie, quelque chose te tracasse?

— Oui et non…

— C'est quoi l'histoire que tu voulais me raconter cette nuit?

— Écoute Gilbert, cette histoire que je vais te raconter, ce n'est pas un conte de fées.

— Pourquoi?

— Je vais aller me chercher un autre café et je vais tout te raconter avant que Mélanie revienne de chez son père. Elle se leva nonchalamment pour se rendre jusqu'à la cafetière et dans sa tête, elle essayait de classer les chapitres de son roman.

— Raconte-moi, Anne-Marie…

— Hum… C'est au sujet du frère de ton père.

— Oui, mais tu m'as dit qu'il n'y avait aucun lien de parenté entre nous deux? Des Sirois, il y en a partout dans le monde, ma belle!

— Tu es mon cousin, mais pas mon vrai cousin.

— Hein?

— Écoute, quand je suis venue au monde à Louiseville, mes parents m'ont donnée en adoption…

— Voyons donc, toi! Pourquoi ne m'en as-tu jamais parlé?

— Tout simplement parce que je n'en voyais pas la nécessité. À l'âge de deux jours, j'ai été adoptée par Françoise et Jean-Paul Sirois de Trois-Rivières.

— Mais dis-moi que je rêve!

— C'est la vérité, Gilbert. Ton père est le frère de mon père adoptif qui est mort avec ma mère adoptive en 1972, à Sainte-Angèle de Laval.

— Mais, on n'est pas des vrais cousins ! Cela n'a pas de rapport avec nous deux ?

— Je sais bien Gilbert… mais… je suis bouleversée de savoir que ton père a le même sang que mon…

— Voyons Anne-Marie, ça change quoi dans notre vie ?

— Oui, mais mon père adoptif était un homme très dur.

— Tu veux dire que tu le détestais et que tu penses que mon père à moi était exactement comme le tien, et que moi, en étant son fils, je pourrais avoir ce même mauvais sang qui coule dans mes veines ?

— Ce n'est pas ce que j'ai dit, Gilbert…

— Mais tu le penses ?

— Je… Je suis toute mêlée… oh…

— Viens là ! Je te promets de ne jamais te présenter à mon père si c'est ce que tu souhaites.

— Mais, tu m'as dit la semaine passée qu'il avait hâte de me rencontrer, comment vas-tu lui expliquer cela ?

— Tout simplement en lui disant qu'on a rompu.

— Mais, je ne peux pas t'imposer cela !

— Écoute, moi je t'aime… Et je souhaite qu'un jour tu puisses m'aimer autant.

— Mais…

— Chut ! Je sais très bien que tu aimes encore Charles. Je ne suis pas aveugle, tu sais… Mais je suis bien déterminé à prendre la route avec toi en espérant qu'un jour prochain, je puisse être au premier rang.

— Peut-être qu'on devrait rompre pour vrai, Gilbert... Je me sens vraiment injuste envers toi.

— Je ne veux pas rompre avec toi, je t'aime trop et je suis prêt à prendre le risque. Mais, si aujourd'hui tu es au courant de ton adoption, qui sont tes parents biologiques?

— Regarde Gilbert, pour la suite du roman, j'ai bien peur de ne pouvoir te le raconter aujourd'hui... s'il te plaît, laisse-moi du temps.

— Ah bon! Mais j'espère être encore à tes côtés pour t'entendre me le lire, Anne-Marie. Je l'espère.

La nouvelle année fut célébrée dans la maison de Solange et de Mario, et tout comme la sainte nuit, elle se déroula dans la joie.

Chapitre 29

Les redoux

Le printemps précoce avait libéré les cours d'eau de leur carapace de glace et il s'employait à redonner à la nature des teintes éclatantes qui faisaient oublier la triste obscurité de l'hiver. Les agriculteurs rêvaient de retourner aux champs, et d'autres, horticulteurs dans l'âme, piaffaient à l'idée de retourner la terre de leur jardin et de leurs plates-bandes pour y planter les arbrisseaux, de tailler les ligneux et de choisir les coloris de leurs fleurs préférées selon un calendrier de floraison bien précis.

Au presbytère de la paroisse Sainte-Trinité, le curé Allard, malgré sa forte constitution, n'avait pas eu d'autre choix que de s'aliter en raison d'une bronchite qui le terrassait depuis déjà une bonne semaine. Et, un peu hypocondriaque, il était convaincu d'avoir frôlé la mort une bonne dizaine de fois.

— Regardez l'abbé, la preuve que je fais encore de la fièvre, elle est sur mon front, il est tout mouillé !

— Bien oui, et on dirait une croix !

— Pensez-vous que c'est un signe pour m'avertir que je vais passer de vie à trépas ?

— Voyons père Allard, vous pouvez bien transpirer, vous êtes enroulé dans cinq couvertures ! Il fait quatre-vingts degrés dans votre chambre !

— Pourriez-vous prendre ma température, l'abbé ? Il me semble que je suis encore plus faible tout d'un coup.

— Je vous l'ai prise, il n'y a pas une demi-heure !

— Oui, je pense que ça va encore plus mal qu'il y a une demi-heure. Ça l'air doux dehors ?

— Oui, puis si j'étais à votre place, ce que je ne souhaite pas du tout naturellement, j'endosserais ma soutane, je prendrais mon bréviaire et je ferais une petite marche devant le presbytère.

— Mais, vous voulez que j'attrape mon coup de mort, l'abbé !

— Au contraire, je veux que vous attrapiez un coup d'air frais pour nourrir vos poumons, monsieur le curé. Et ce n'est pas en restant dans votre grand lit avec ces cinq couvertures-là que vous allez prendre des forces, croyez-moi.

— Je ne sais pas trop, voulez-vous reprendre ma température, l'abbé ?

— Père Allard ! Bon, je vais aller voir madame Soulières pour lui donner les directives de la journée... Je vous ai apporté une cloche au cas où vous auriez besoin de moi ou de madame Soulières...

— Mais c'est la cloche de l'autel, l'abbé !

— Eh oui ! et je vous ai aussi apporté de l'eau bénite au cas où vous voudriez faire votre signe de croix avant de...

— Avant de quoi l'abbé ?

— Avant de dîner monsieur le curé, avant de dîner.

Eh! que ce n'est pas drôle! Un homme si gros, qui pense qu'il a toutes les maladies de la terre. Par chance que je ne lui ai pas dit que le bedeau Carignan, malgré son âge, a attrapé la varicelle et qu'il est quand même venu travailler au presbytère ce matin.

De la sacristie où il vérifiait les vêtements sacerdotaux pour l'homélie du dimanche, le vicaire Desmarais entendit un bruit qui venait de l'église.

Une femme, probablement dans la trentaine, venait de s'agenouiller sur la première marche de l'autel, le visage inondé de larmes.

— Hum...

— J'allais partir mon père, je sais que je n'ai pas le droit de venir comme ça dans la nef, mais je voulais juste être plus près du Seigneur pour lui parler.

— Mais non, mais non... Si vous avez bien remarqué dans le vestibule de l'église, il n'a y pas d'horaire de visite. Même que les grandes portes n'ont jamais eu besoin de clé. L'église est toujours disponible pour tous ses paroissiens, elle ne verrouille jamais ses portes.

Cette jeune fille à la peau satinée était d'une beauté saisissante. Elle portait des vêtements tendance, une mini-jupe et de grandes bottes en cuir noir à talons aiguilles, et de plus près, l'abbé Desmarais ne lui attribua pas plus de vingt-cinq ans.

Elle avait les cheveux mi-longs couleur de miel et lorsque son regard s'était fixé dans celui du prélat, il fut pris d'une envie folle de l'étreindre pour la consoler doucement de ses peines.

— Vous avez beaucoup de chagrin, mademoiselle?

— Oui, je ne peux pas vous en parler, c'est trop… c'est trop humiliant, mon père.

— Voyons ma fille, parfois les gens croient que nous sommes là pour juger nos fidèles, comme le faisait jadis le clergé. Alors que nous sommes au service de Dieu pour écouter et alléger les peines de nos brebis. Quel est votre nom mademoiselle ?

— Angèle Paradis.

— Êtes-vous nouvelle dans la paroisse ?

— Bien non ! En plus de la bêtise que j'ai pu faire, je ne me recueille même pas dans ma paroisse !

— Mais toutes les églises accueillent tous les gens de la terre ! Mais pourquoi avoir choisi la nôtre ?

— Je n'ose plus me présenter dans ma paroisse.

— Mais pourquoi, ma chère enfant ? Le Seigneur pardonne tout, il est miséricorde !

— Oui, mais le curé de ma paroisse…

— Voulez-vous m'en parler ?

— J'ai couché avec le vicaire, mon père !

— Oh ! Et le curé a été mis au courant et il vous a chassé de son église, est-ce cela ?

— Non, je ne suis plus capable d'entrer dans mon église. Vous savez, on a commis un sacrilège et je voulais m'éloigner de Louis, je veux dire du vicaire, car il est en réflexion sur son sacerdoce, comme il m'a dit.

— Vous vous aimez vraiment tous les deux ?

— Oui… oh… moi, je l'aime.

— Ma pauvre enfant, vous aimez un homme de Dieu, vous savez qu'il n'y a aucun espoir pour vous de vivre librement votre amour ? Et probablement, cet ecclésiastique est complètement déchiré entre sa vénération pour le Seigneur et l'attirance qu'il éprouve pour vous ?

— Oui, je suis au courant mon père, mais comment je pourrais bien vous expliquer que nos corps n'ont écouté personne quand ils se sont touchés et que l'envie de nous aimer a passé par-dessus tout ?

— Je comprends mon enfant.

— Cela ne vous est jamais arrivé de vous trouver devant une belle femme et d'avoir envie de l'embrasser ou bien seulement de la prendre dans vos bras et la bercer ?

Et, bien que ce fut exactement cette envie qui, à ce moment, l'étreignait, il se força à répondre :

— Non ! Cela ne m'est jamais arrivé, et je souhaite de tout mon cœur d'en être épargné, car la peine qui en résulte doit être déchirante.

— Oui ! Vous comprenez mon père, c'est ce que je vis.

— Pauvre vous !

— J'aurais souhaité être aveugle devant lui, mais même aveugle, je l'aurais aimé quand même. Qu'est-ce que je vais faire ?

— La seule voie de guérison pour vous deux, si naturellement vous vous aimez profondément, ce serait pour lui d'écrire au Vatican pour demander au pape qu'il le libère de sa prêtrise. Mais cela peut être très long, cela peut prendre des années.

— Mais, il me dit qu'il aime Dieu autant qu'il m'aime !

— Alors, s'il ne veut pas se séparer du Seigneur pour n'aimer que vous et qu'il est impossible de vivre dans le péché, il vous faudra beaucoup de forces pour surmonter cette grande peine d'amour.

— Je vais mourir.

— Vous ne mourrez pas, mademoiselle, mais je ne vous mentirai pas que les prochains jours ou les prochains mois seront très pénibles pour votre cœur et votre conscience. Mais, à voir la douceur et la beauté qui habite votre âme, vous devriez pouvoir en ressortir dignement.

— Vous pensez ?

— Bien oui, et votre nom le dit mademoiselle.

— Comment ça ?

— Angèle Paradis, vous êtes un ange du paradis, mademoiselle. Et un ange du paradis ne peut pas toujours vivre dans la peine. Vous méritez un amour entier et sans conditions et vous devez libérer votre cœur du chagrin qui en ce moment fauche tout espoir de bonheur.

— Vous me faites du bien mon père, est-ce que je pourrais revenir vous parler de temps en temps ?

— Bien sûr, la porte de mon église est toujours ouverte pour écouter mes paroissiens.

Mais une partie de sa conscience lui répétait de prendre garde car mademoiselle Angèle était vraiment très belle.

— Je vais venir à la messe de dimanche mon père, et merci beaucoup d'avoir pris le temps de m'écouter.

Elle emprunta l'allée centrale de l'église et le vicaire Desmarais, en la regardant s'éloigner de sa démarche parfaite, pria le Seigneur de ne pas le laisser succomber à la tentation.

Malgré quelques quintes de toux, le curé Allard avait pu célébrer la messe le dimanche, assisté de son vicaire. Mais l'abbé Desmarais n'avait pas la tête à la cérémonie, tant il était sous l'emprise de l'ange céleste agenouillé pieusement sur le premier prie-Dieu de la sainte église. Et c'est à la communion, au moment où il avait présenté le corps du christ à cette bouche charnue et que ses doigts par accident avaient effleuré les lèvres rosées, que n'en pouvant plus, il avait dû se jeter au pied de l'autel en implorant le seigneur de le sauver du désir qui venait de s'emparer de lui et qui l'avait complètement bouleversé.

Chapitre 31

LA LETTRE

— Veux-tu un café ou un thé, Anne-Marie ?

— Oh ! sais-tu, je prendrais une bière, moi…

— Hein ! À dix heures du matin ?

— Oui, j'en ai de besoin ma vieille.

— C'est quoi qui te stresse comme ça ce matin, Anne-Marie ?

— La lettre, Solange !

— C'est vrai, tu avais dit à Charles que tu lui donnerais au printemps !

— Oui, mais j'aurais dû la brûler avec les autres cette lettre-là.

— Tu aurais pu, oui. Mais un jour, ses cendres seraient revenues te hanter et tu n'aurais pas été plus avancée.

— Tu as bien raison.

— Comment penses-tu qu'il va prendre ça, Charles ?

— Je pense qu'il va m'en vouloir beaucoup.

— Oui probablement, surtout de ne pas la lui avoir montrée tout de suite au mois d'octobre passé. Cela fait déjà cinq mois, tu sais ?

— Oui, je suis terrorisée de la lui remettre.

— Quand vas-tu la lui remettre ?

— Au mois de décembre, je lui avais dit que je la lui donnerais au printemps, mais je pense bien qu'il ne voudra pas attendre jusque-là.

— Donne-lui aujourd'hui Anne-Marie, seigneur de Dieu ! Après qu'il aura fait sa crise, la poussière va retomber, tu ne penses pas ?

— Ai-je le choix ?

— Non.

Anne-Marie toute sa vie avait aspiré à un bonheur auquel elle n'avait jamais eu droit. Malgré tout, aujourd'hui elle n'avait besoin de rien. Elle avait su offrir une vie heureuse à sa fille et de ça elle était très fière. Jour après jour, elle avait acquis un peu plus d'indépendance, mais son âme meurtrie saurait-elle encore aimer ?

Assise sur la berceuse avec Franklin qui avait remplacé Grison, elle se leva pour prendre la lettre de Madeleine qu'elle avait pris soin de conserver entre le sommier et le matelas de son grand lit turquoise et, d'un pas décidé, elle s'engagea dans le rang du Ruisseau vers la maison de Charles. Quelques plaques blanches glacées subsistaient encore ici et là sur la route. Elle se baissa, choisit une pierre parmi tant d'autres et la lança violemment au bord du chemin.

— Bonjour Anne-Marie ! Entre, je vais te faire un café. Comment vas-tu ?

— Ça va Charles. Je vois que tu as commencé ton jardin ?

— Oh ! J'essaie de faire pousser mes plants de tomates pour le mois de mai, mais on dirait que je n'ai pas le pouce vert comme toi. Ils ne veulent pas sortir de la terre, on dirait qu'ils sont gênés.

— Tu arroses bien trop la terre, tes graines sont noyées !

— Tu penses ?

— Bien oui. Regarde ! Le soleil qui entre sur le bord de ta fenêtre n'est pas aussi chaud que le soleil du mois de mai, c'est pour cela qu'avec toute l'eau que tu mets dans tes pots, la terre n'a pas le temps de sécher. Tes graines ont toutes pourri dans cette bouette-là !

— Eh bien ! Il va falloir que tu me donnes des cours, Anne-Marie...

— Il le faudra en effet. Sinon, les petites fleurs d'avril n'auront aucune chance avec toi.

— Ouin... Mélanie est partie avec qui ?

— Elle est partie magasiner au Mail Champlain avec Gilbert et sa fille.

— Ah ! Elle a l'air à bien s'adonner avec la petite Sirois ?

— Oui, elles sont toujours ensemble, ces deux-là.

— C'est bien ça... Et Gilbert, il va bien ?

— Je ne sais pas.

— Comment ça, tu ne le sais pas ?

— On ne sort plus ensemble...

— Ah ! Pourtant, vous aviez l'air à bien vous entendre tous les deux ?

— Oui, on s'entendait bien, jusqu'à ce que je connaisse ses racines.

— Ah ! En fin de compte, c'est un Sirois dans la lignée de tes parents adoptifs ?

— Bien oui... C'est le neveu de Jean-Paul et Françoise Sirois.

— Non ! Es-tu sérieuse, toi ?

— Oui ! Son père est le frère de Jean-Paul... Et j'étais incapable de continuer cette relation.

— C'est certain que même si vous n'avez aucun lien de parenté, cela devait faire bizarre pour toi ? Est-ce que ça va te
lâcher un jour cette histoire de famille, Anne-Marie ?

— Oui, elle va me lâcher Charles, cela ne peut pas faire
autrement avec cette lettre... Je crois bien que cette lettre
est la toute fin de mon histoire bouleversante. C'est seulement dommage que j'aie vécu avec ça toute ma vie. J'aurais
aimé moi aussi semer du bon grain pour récolter une vie
heureuse, mais il faut croire que je dois avoir mis trop d'eau,
car je n'ai jamais rien récolté de bon.

— Voyons Anne-Marie, tu as Mélanie, tu n'as pas tout
perdu !

— Oui j'ai Mélanie, Charles. Mais à part de cela, veux-tu
me dire quand le bon Dieu est passé, parce que moi je l'ai
manqué d'aplomb. Peut-être que je suis née seulement pour
faire un acte de présence sur la terre et m'en retourner avec
ma petite vie ?

— Qu'est-ce qu'elle t'a fait notre mère pour que tu sois si
agressive, Anne-Marie ?

— Elle m'a fait autant de mal qu'elle t'en a fait, Charles...
Tiens... Je vais aller boire mon café sur la galerie pendant
que tu vas lire la lettre, il fait tellement beau dehors...

Même si Charles devenait rancunier envers Anne-
Marie après avoir lu cette lettre, elle ne pourrait pas être
plus effondrée qu'elle ne l'était déjà. Le fil de fer sur lequel
elle avait tenté de se tenir en équilibre durant toute sa vie
venait de se rompre et elle se retrouvait enfin les deux pieds
sur terre.

J'ai maintenant quarante-cinq ans, sainte mère ! se répétait-
elle, et avant d'en avoir soixante-dix, je veux pouvoir enfin

profiter des vingt-cinq années que la providence voudra
bien m'allouer, pour aimer la vie.

— Anne-Marie !

— Oui Charles...

— Mais pourquoi ne pas m'avoir montré cette lettre-là
avant ? J'avais le droit de savoir moi aussi que je m'appelais
Christophe Gagnon, tu ne penses pas ?

— Quelle différence cela peut bien faire Charles ? J'ai vécu
quarante-cinq ans avec le nom d'Anne-Marie Sirois, moi !
Je sais que tu es déçu, et j'en suis désolée...

— Tu es désolée ? J'espère bien que tu es désolée... Vois-
tu, depuis le mois de décembre, toi et moi on a déjà perdu
trois mois !

— Quoi ? Mais on n'a rien perdu du tout Charles ! On a pu
faire la lumière sur notre passé, oui, mais on n'a rien perdu !
Tout ce qu'on a perdu, c'était avant le mois de décembre.
Maintenant que l'on sait qu'entre nous deux il n'y a aucun
lien de parenté, on n'aura même pas besoin de l'expliquer à
notre fille. Elle va pouvoir se marier et avoir des enfants, et
tout ce que je lui souhaite, moi, c'est que sa vie se déroule
normalement et qu'elle ne soit pas gâchée comme la mien-
ne. Tout est bien qui finit bien.

— Tu penses cela toi ? Je t'ai aimé toute ma vie et là tu dis
que tout est bien qui finit bien ?

— Quoi ? Veux-tu dire que tu voudrais faire comme si rien
ne s'était passé, Charles ?

— Exactement, Anne-Marie... Je ne suis pas Charles Jolicoeur, je peux t'aimer, te rendre heureuse et te faire l'amour
jusqu'à la fin de mes jours !

— Voyons donc, toi ! Arrive en 1988 ! On ne se remettra jamais ensemble après tout ce temps !

— Mais pourquoi ?

— Y a coulé bien trop d'eau sous le pont depuis que sœur Marie-Jésus t'a donné mon baptistaire, Charles ! Et puis, on pourrait reconstruire avec quoi tu penses ? Tout n'est que ruines ! Depuis qu'on s'est connus nous deux, on n'a récolté que la souffrance !

— Mais on s'est aimé comme des fous, Anne-Marie ?

— Oui, mais il y a longtemps de cela, Charles. Ça fait déjà quinze ans !

— Tu ne m'aimes plus, mon cœur ?

— Charles… tu sais que je t'ai toujours aimé, mais je pense que ce serait mieux pour nous deux de continuer notre vie chacun de notre côté. Et Mélanie a grandi entre Louise-ville et Contrecœur sans jamais se plaindre de rien. Elle s'est même habituée de nous voir rester tous les deux dans le rang du Ruisseau sans se demander si un jour on reviendrait ensemble.

— Et si je te disais que ce que notre fille souhaite le plus au monde c'est qu'on revienne ensemble toi et moi ?

— Elle t'en a parlé ?

— Ah oui ! Et pas seulement une fois !

— Elle ne m'en a jamais parlé à moi pourtant !

— Lui en as-tu déjà parlé, toi ?

— Non, je n'en voyais pas la nécessité. Je la voyais heureuse et je pensais que sa vie était quand même comblée en sa-chant qu'on était restés de bons amis tous les deux.

— Et non ! Quand je suis revenu dans le rang du Ruisseau à l'automne, pour elle, son rêve se réalisait… mais j'ai dû lui faire comprendre à maintes reprises que parfois les couples heureux ne ressentent pas toujours le besoin de vivre ensemble.

— Oh… pauvre petite puce.

— Anne-Marie…

— Oui…

— Veux-tu m'épouser ?

— Charles !

— Tu es ma vie, Anne-Marie. Et s'il te plaît, si tu acceptes cette demande que je te fais presque à genoux, ne le fais pas seulement pour Mélanie, accepte pour toi, si naturellement, après quinze ans, tu veux bien passer les années qu'il te reste à mes côtés.

— Oui, je le veux !

Alors qu'au cimetière de Louiseville, la tombe de Madeleine, désherbée et fleurie, se réchauffait aux bienfaisants rayons du soleil, Charles et Anne-Marie, ayant enfin pardonné, scellaient leurs destins d'un doux baiser, tendrement échangé au pied de l'autel de l'église Sainte-Trinité.

Remerciements

Un merci spécial à mon éditrice madame Linda Roy qui a su si bien me guider pour que je puisse vous présenter cette belle histoire.

Merci à mes deux lectrices, madame Gisèle Tremblay-Bilodeau et madame Thèrèse Grenier qui ont bien voulu parcourir mon manuscrit.

Merci à mes deux amours, mes enfants, Jessey et Mélissa, ainsi qu'à mes petits-enfants, Sarah-Maude, Myalie et Benjamin.

Merci a mon conjoint Gérald qui n'a jamais cessé de croire en moi.

Merci a mes sœurs, qui sont avant tout pour moi mes meilleures amies.

Merci à ma mère Henriette de m'accompagner dans la belle aventure dans le merveilleux monde de la littérature.

Et merci à mon père Fernand qui quotidiennement m'encourage du haut de son paradis.